INICIAÇÃO AO
CANDOMBLÉ

ZECA LIGIÉRO

INICIAÇÃO AO

CANDOMBLÉ

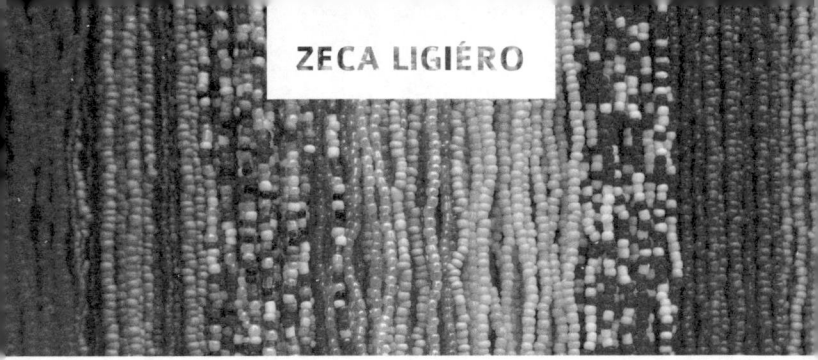

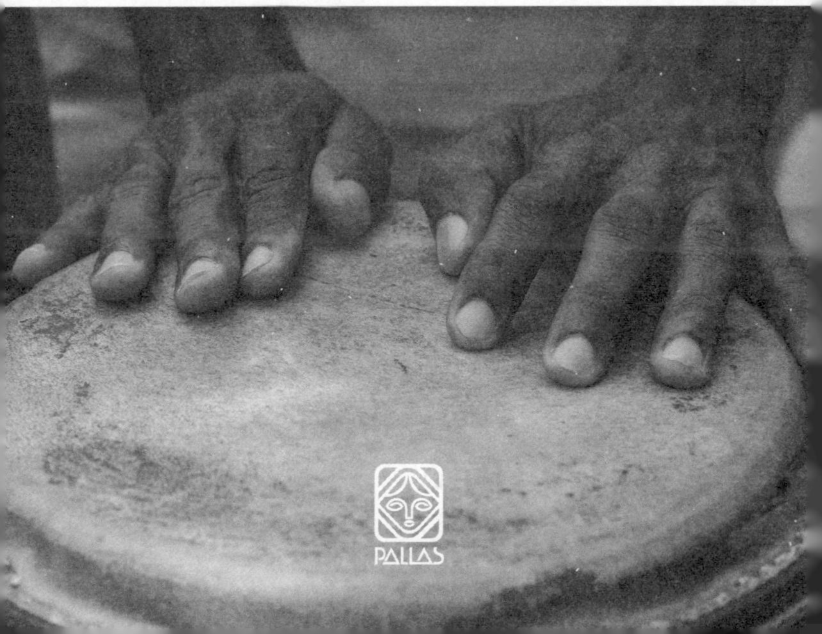

PALLAS

Copyright © 2022
Zeca Ligiéro

Todos os direitos reservados
à Pallas Editora e Distribuidora Ltda.

Editoras
Cristina Fernandes Warth
Mariana Warth

Cordenação editorial e capa
Daniel Viana

Assistente editorial
Daniella Riet

Preparação de originais
Eneida D. Gaspar

Revisão
BR75 | Clarisse Cintra

Ilustrações
Zeca Ligiéro

Imagens de capa
TA/iStock; Breno-Darze/iStock

Este livro segue as novas regras do Acordo Ortográfico da Língua Portuguesa.

CIP-BRASIL. CATALOGAÇÃO NA FONTE
SINDICATO NACIONAL DOS EDITORES DE LIVROS, RJ

L691i
9. ed.

Ligiéro, Zeca, 1950-
Iniciação ao candomblé / Zeca Ligiéro. - 9. ed.; - Rio de Janeiro: Pallas, 2023.
160 p.; 18 cm.

ISBN 978-65-5602-072-3

1. Candomblé. 2. Cultos afro-brasileiros. I. Título.

23-84380   CDD: 299.673
                  CDU: 259.4

Gabriela Faray Ferreira Lopes - Bibliotecária - CRB-7/6643

Pallas Editora e Distribuidora Ltda.
Rua Frederico de Albuquerque, 56 – Higienópolis
CEP 21050-840 – Rio de Janeiro – RJ
Tel.: 21 2270-0186
www.pallaseditora.com.br
pallas@pallaseditora.com.br

Este livro é dedicado
à memória de Mãe Beata de Iemanjá
e ao terreiro de candomblé Ilê Omiojuarô

9	Nota à nova edição
13	Prefácio
17	Antigo e novo
19	PARTE 1
	A RESISTÊNCIA DE UMA CULTURA
21	A presença da sabedoria africana no Novo Mundo
37	Breve história do candomblé no Brasil
47	O candomblé nosso de cada dia
53	PARTE 2
	A RELIGIÃO DOS ORIXÁS
55	O axé, suas cores e formas
59	Cosmogonia iorubá
67	Os orixás e a natureza
75	Os orixás e seus arquétipos

Sumário

111 **PARTE 3**
O ORÁCULO DE IFÁ
113 A tradição do Ifá
119 Do Ifá ao jogo de búzios
123 Dafa: consultando o oráculo

131 **PARTE 4**
O RITUAL: OS DEUSES COMEM, BEBEM E DANÇAM
133 O transe e a iniciação
139 Ebós: a comida dos orixás
143 Espaços sagrados do candomblé
147 Religião-vida-arte
151 Novos e antigos caminhos
155 Bibliografia

Nota à nova edição

Em 1993, publiquei a primeira edição de *Iniciação ao candomblé*. Para escrever o livro, além de entrevistas e do contato direto com alguns sacerdotes e sacerdotisas do candomblé, eu dispunha de uma bibliografia relativamente pequena dos estudos consagrados às culturas afro-brasileiras, de Nina Rodrigues a Edson Carneiro, bem como dos livros dos pesquisadores franceses Pierre Verger e Roger Bastide e dos norte-americanos Donald Piersen e Ruth Landes. Talvez um dos problemas durante a minha investigação inicial tenha ocorrido não somente na escolha das minhas fontes e do contexto da época, mas no meu fascínio pela tradição iorubá, o que acabou me conduzindo a perceber as suas fundações como únicas origens do candomblé. Uma década depois, investigações mais aprofundadas e com novos dados disponíveis, como a do antropólogo Luís Nicolau Parés, indicavam de forma contundente as origens jejes do candomblé, indo ainda mais além dos prévios estudos realizados neste sentido por Vivaldo Costa Lima e João José Reis (aos quais, lamentavelmente, não tive acesso antes da primeira edição do meu livro). Todos eles já reconheciam também uma origem ainda mais remota, ainda que com pouquíssimos estudos, nos antigos calundus de origem congo-angolana. Nesse período, o volume de antropólogos, somado ao de jornalistas e curiosos, que investigavam as culturas do terreiro cresceu enormemente. Uma vez espalhados por todo o Brasil e em alguns países das Américas, e mesmo com algumas casas afiliadas na Europa, a antiga tradição oral do candomblé passou a ser compartilhada, com uma vasta bibliografia disponível, com revistas populares nas bancas de jornais, sites na internet e até consultas de Ifá (jogo de búzios) virtual para saber quem é o seu orixá de cabeça! Por outro lado, se na época da publicação original eu dava também os meus primeiros passos como devoto desta religião, o próprio estudo e prática, após a publicação do livro, não parou. Em 2013, completei 14 anos de confirmado como Mogba Sango, na casa de candomblé Omiojuarô, de Miguel Couto (RJ), liderada por Mãe Beata de Iemanjá e Bebé Egbé Adailton Moreira Costa.

Ao ser convidado para fazer uma nova publicação do meu livro pela Editora Pallas, eu me vi na obrigação de rever o original e precisar com mais acuidade muitos dos meus conceitos iniciais, procurando esclarecer ainda alguns aspectos da historiografia e do próprio simbolismo do candomblé, na medida em que, com o tempo, o contato com novas pesquisas e reflexões e a convivência dentro da casa de santo foram também melhor temperando minhas palavras. Mas se o livro continuou a fazer tanto sucesso após tantos anos e tantas edições, é porque ainda está bem vivo, e também não é o caso de uma completa reescrita.

A minha única e breve visita à região do Golfo de Benim em 2011, para assistir ao Festival das Divindades Negras no Togo, que foi uma verdadeira imersão no mundo jeje com os seus diversos cultos aos voduns, não deixou nenhuma dúvida quanto ao grande parentesco com a religião do candomblé do Brasil. As danças em círculo, suas *performances* com transe ou não, os cortejos, as oferendas, os objetos litúrgicos, o uso de guias com miçangas apontando as cores das divindades, os turbantes e a organização hierárquica me remetiam diretamente às casas de candomblé baianas ou cariocas, mesmo que cultuando os orixás em vez dos voduns.

Quando escrevi o livro, no começo dos anos 1990, eu imaginava uma África mítica, com uma referência muito antiga, talvez remanescente das estampas das exposições coloniais em versões inglesas ou francesas (principalmente), talvez influenciado pelas lindas fotos em preto e branco de Pierre Verger tomadas nas décadas de 1940 e 1950. Uma África onde as etnias mantinham-se puras, devotadas às suas ancestralidades e com hábitos próprios e inalterados. Ao entrar em contato com a casa de candomblé e perceber a restauração de um vida africana, não hesitei em considerar primeiramente o candomblé como a continuidade fidedigna de uma religião africana no Brasil e, no caso, de origem predominante iorubá (da atual Nigéria), conforme indicavam os principais estudiosos da cultura afro-brasileira. Para esta nova versão, foi possível fazer um estudo mais completo e entender o candomblé não apenas como a continuidade de uma única tradição, mas como uma criação multiétnica desenvolvida nas terras baianas, fruto de aculturações dos diversos grupos de origem, cujas religiões, em suas regiões nativas, já viviam em longos processos de convivência e trocas, adorando, em um único espaço, divindades diversas provenientes de culturas originárias de outros locais, migrantes ainda em terras africanas.

Zeca Ligiéro,
Santa Teresa, Rio de Janeiro

Prefácio

Quando os navios negreiros despejam, a partir do século XVI, suas cargas de africanos nas costas do Novo Mundo, os colonizadores brancos espalham, à sorte dos leilões, homens, mulheres, crianças. Não há mais casais, não há mais famílias, não há mais a comunidade das aldeias. Só resta o desespero.

Uns, incapazes de suportar tal adversidade, deixam-se morrer. Os que sobrevivem guardam no coração a saudade da terra natal. Mas nas grandes fazendas qualquer reagrupamento é impossível.

A partir do século XIX, nos centros urbanos, a condição de certos escravos chega a ser menos rude; alguns conseguem ser alforriados, ou pelos esforços conjugados de seus companheiros, ou pela caridade de senhores mais bondosos. Já os negros de ganho gozam de certa autonomia. Juntam-se a eles mulatos nascidos

dos amores entre os senhores e suas belas escravas. Aparecem, nas grandes capitais, africanos vindos da Costa da Guiné a fim de comerciar.

Funda-se então uma nova comunidade onde se mantém a tradição antiga. Assim organizam-se centros religiosos autenticamente africanos.

De novo o mundo sobrenatural recebe as homenagens de seus filhos:

> *Mojuba orun* (Céu, eu me curvo à vossa frente)
> *Mojuba ile* (Terra, eu me curvo à vossa frente)
> *Mojuba ewe* (Folhas, eu me curvo à vossa frente)
> *Mojuba omi* (Águas, eu me curvo à vossa frente)

De novo, os deuses estão presentes no meio dos fiéis. De novo, o mundo invisível que rege os homens chega a ser acessível.

"Yatunde", a mãe voltou; Mãe África, quente como a noite tropical, majestosa no seu cortejo de divindades que surgem da escuridão, forças da natureza, água, mar, lama, relâmpago, ventos e trovão, forças que nos rodeiam e nos impregnam, forças que nos envolvem e nos regeneram.

Os atabaques rufam e os deuses, felizes, dançam, dançam os mitos antigos, dançam o fogo e sua ira, dançam a frescura das cachoeiras cristalinas, dançam a onda que quebra na praia, dançam a criação do Mundo...

E a bênção divina se espalha sobre os homens.

Ogun ka ji ré (Ogum, que nosso despertar seja na felicidade)
Oba ka ji ré (Xangô, que nosso despertar seja na felicidade)
Osun ka ji ré (Oxum, que nosso despertar seja na felicidade)
Nji owo ni ka ji (que, em nosso despertar, encontremos dinheiro)
Nji aya ni ka ji (que, em nosso despertar, encontremos mulheres)
Nji omo ni ka ji (que, em nosso despertar, encontremos filhos)
Ki a ma dide iku (que nós não levantemos para encontrar a morte)
Ki a ma dide arun (que nós não levantemos para encontrar doenças)
Ki a ma dide ejo (que nós não levantemos para encontrar discussões)
Ki a ma dide ofo (que nós não levantemos para encontrar prejuízos)
(VERGER, 2012, p. 375-376, versos 29, 37, 46-53)

E essa fé, admirável, tão poderosa que soube resistir à pior das adversidades, revela-se para nós todos um exemplo incomparável.

Gisèle Omindarewa Cossard

Antigo e novo

O candomblé é uma religião muito antiga, com muitos adeptos em todo o Brasil. Muita gente, no entanto, ainda não sabe que candomblé não é uma seita, e que é independente de outras religiões, tais como o espiritismo, o catolicismo ou mesmo a umbanda. É uma religião com sua própria base filosófica, seus mistérios, suas crenças e seus rituais específicos.

Para um grande número de pessoas, a uma certa altura de suas vidas, surge a oportunidade de ir a um "terreiro", ainda que seja para uma rápida visita. Alguns ficam para sempre. Não por causa de "milagres" conseguidos, mas pelas descobertas dos princípios éticos dessa antiga doutrina trazida pelos antepassados africanos e pelo fascínio que causam a beleza e o mistério do mundo dos orixás, dos voduns ou dos inquices (as poderosas divindades dos candomblés de origem iorubá, jeje e congo-angolana, respectivamente). Então, pouco a pouco, vão experimentando aprofundar-se no conhecimento de si mesmos; e percebem que uma religião tão antiga pode responder a questões contemporâneas: Quem somos nós? O que queremos? Como estamos convivendo com as forças vivas da natureza – o verdadeiro templo onde residem as divindades do candomblé?

No momento em que damos os primeiros passos num novo milênio, entrando na década de 2020, urge nos depararmos com esta antiga sabedoria trazida pelos negros africanos. Mesmo sob séculos de escravidão e mais várias décadas de perseguição policial, o candomblé assegurou aos seus fiéis a luta para preservar a independência do espírito, o pleno processo de individuação e a sintonia com as forças sagradas da natureza. Nesta passagem de tempo, em que nos sentimos aprisionados pelas adversidades e pressões de um mundo cada vez mais artificial e desumano, é chegada a hora de olhar para a sabedoria que sempre esteve ao nosso lado: o candomblé.

PARTE 1

A RESISTÊNCIA DE UMA CULTURA

A presença da sabedoria africana no Novo Mundo

Os egípcios nos deixaram seus mitos gravados nas pirâmides dos desertos; os gregos, na maestria de suas esculturas e de sua produção teatral; os iorubás, por sua vez, tiveram seus registros parcialmente destruídos pelas sucessivas guerras internas, pelo excesso de umidade das florestas tropicais, pelos saques dos invasores, pela escravidão imposta ao seu povo. Entretanto, numa visita ao Egito atual, percebemos que, além dos guias e dos estudiosos, ninguém mais fala de deuses como Ísis e Osíris. Na Atenas atual, Dioniso ou Apolo, além de peças de museus, são nomes de restaurantes e pousadas. Essas duas tradições, tão estudadas e catalogadas como as verdadeiras heranças da cultura ocidental, não são mais professadas como fé. Mas em Lagos, como em Salvador, Havana ou mesmo Nova York, os orixás como Xangô, Exu e Ogum, entre outras divindades iorubás, quase tão antigas quanto os deuses egípcios ou gregos, são cultuados até hoje por um grande número de fiéis.

Por que a tradição dos orixás permaneceu tão forte, tanto na África como no Novo Mundo, mesmo tendo sofrido tantas perseguições por parte dos colonizadores europeus? Quais as razões dessa incrível resistência?

Primeiro, temos que nos debruçar um pouco sobre a sociedade iorubá, na África, antes do processo de escravização. Robert Farris Thompson, no primeiro capítulo de seu livro *Flash of the spirit*, nos dá uma ideia bastante interessante a respeito do mundo iorubano. Ele conta a primeira visão que R. H. Stone, um missionário americano, teve da cidade de Abeokutá, em meados do século XIX:

> O que eu vi desengana a minha mente dos muitos erros cometidos a respeito da [...] África. A cidade se estende ao longo das margens do rio Ogum, por aproximadamente seis milhas, e tem uma população de cerca de 200.000 [...] em vez de preguiçosos selvagens nus, vivendo da produção espontânea da terra, eles eram vestidos e trabalhadores [...] providenciando tudo que o conforto exigia. Os homens são construtores, ferreiros, fundidores de minério, carpinteiros, entalhadores de cabaças, tecelões, artesãos de cestos e esteiras, chapeleiros, comerciantes, barbeiros, curtidores de couro, alfaiates e sapateiros [...] eles fazem tesouras, espadas,

facas, enxadas, anzóis, machados, pontas de flechas, estribos [...] mulheres [...] bastante cuidadosas seguem as ocupações de acordo com o costume permitido a elas. Elas fiam, tecem, comerciam, cozinham e tingem tecidos de algodão. Elas também fazem sabão, tinturas, azeite de dendê, óleo de castanha, todos os produtos nativos e muitas outras coisas usadas no país. (THOMPSON, 1983, p. 3, tradução livre)

A civilização iorubana teve um urbanismo dos mais desenvolvidos da África negra. O antigo urbanismo iorubá data da época da Idade Média, entre os séculos XII e XIII, quando a cidade sagrada de Ile-Ifé fervilhava com a força artística que mais tarde provocaria um verdadeiro assombro no Ocidente (KI-ZERBO, 2010). Escultores de Ile-Ifé estavam produzindo esplêndidas obras de arte em terracota, bem como em bronze. Nada comparável em qualidade estava sendo produzido na Europa nessa época. Os primeiros missionários que penetraram na cidade de Abeokutá, em 1840, ficaram abismados não somente com a produção artística, mas com o prestígio de que os escultores gozavam entre os seus, exercendo liderança comunitária.

O que só mais tarde pôde ser percebido é que os conceitos de beleza, grandeza interior, riqueza e elegância manifestados nas obras de arte iorubanas estão amalgamados com os princípios religiosos que regiam a vida daqueles cidadãos. John Mason, babalaô em Nova York, nos dá uma excelente definição do conceito de "arte" dos iorubás no livro *Orin orisa, songs for selected heads*:

> O iorubá usa a palavra *Ogbon* para significar arte, inteligência, sabedoria, perspicácia e invenção. Esta ideia casa-se com o termo *Iton* para conto ou história e *Ton* para diáspora, propagar, investigar, irradiar, instigar; [isto] ajuda-nos a entender que para o Iorubá, **arte é a propagação e a investigação da sabedoria**. É feita para brilhar, ser vista, ser ouvida, instigar e causar o duplo sentido do significado, uma reinvestigação. O papel da arte é *Rù*: transportar você; *Rù*: despertar as coisas, incitar você; *Rù*: conduzir você tanto para a raiva como para a tristeza. Por esta definição, arte iorubá significa viajar, espalhar todas as notícias sobre as coisas sagradas e mundanas. Todas as artes começam com Deus, o Ideal. (MASON, 1992, p. 3, destaques do autor, tradução livre)

Portanto, observamos que a civilização iorubá, cujo apogeu artístico se inicia ainda durante a Idade Média, continuou o seu desenvolvimento urbano até metade do século XIX. A localização das principais cidades, distantes da costa, protegeu o povo iorubá do tráfico negreiro implantado pelos europeus desde o começo do século XVI. Mas as constantes guerras e a expansão do Reino de Oyó, subjugando outros reinos, acabou envolvendo e expondo suas populações à escravidão. Junto com as políticas de criação de guerras estava a meta de conseguir novos prisioneiros, transformados imediatamente em escravos. O assédio constante dos europeus e o estímulo ao tráfico de prisioneiros de guerra, em troca de gêneros de primeira necessidade, acabaram transformando também o reino iorubá num celeiro de escravos (KI-ZERBO, 2010).

Vejamos o tráfico negreiro África-Brasil para termos uma ideia do impacto da vinda dos últimos povos africanos que propiciariam a formação do candomblé (VERGER, 1987): não somente os iorubás (vindos da atual Nigéria), aqui chamados genericamente de nagôs, mas também dos jejes, que constituíram as primeiras casas ou roças de candomblé, os falantes das línguas *gbe*, entre os quais se destacam os fon, ewe e adja (das atuais repúblicas de Benim e Togo). Embora menos conhecidos e pouco enfatizados pelos antropólogos e estudiosos das tradições afro-brasileiras (na época em que fiz as pesquisas para a primeira edição deste livro), os candomblés congo e angola encerram conhecimentos trazidos há mais tempo, representando os mais longínquos elos com a terra mãe.

Em 1533, chegavam ao Brasil os primeiros escravos africanos trazidos pelos navios portugueses. Foi a primeira leva de que se tem notícia comprovada, em um período de quase quatro séculos de importação de escravos. Apesar de serem denominados uniformemente de africanos, os escravos eram negros e pertenciam a diferentes grupos étnicos, provenientes de diferentes regiões africanas. Genericamente, foram classificados inicialmente pelos historiadores em dois grupos principais: os bantos, compreendendo os do Congo, Angola e Moçambique; e os sudaneses, englobando os iorubás, jejes e hauçás. O tráfico em direção ao Brasil é compreendido pelos historiadores em quatro períodos:

1. O ciclo da Guiné – segunda metade do século XVI;
2. O ciclo de Angola e do Congo – ápice no século XVII, mas com continuidade menor até o final do tráfico;
3. O ciclo da Costa da Mina – três primeiros quartos do século XVIII;
4. O ciclo da baía de Benim – entre 1770 e 1850, estando incluído aí o período do tráfico clandestino.
(FAUSTO, 2006, p. 51-52)

Os dois últimos ciclos são particularmente importantes para a nossa história. No chamado ciclo da Costa da Mina, o comércio de escravos se intensifica com o Reino de Daomé (dos jejes), que, mesmo tributário do Reino de Oyó, capital dos iorubás, tem um papel fundamental no tráfico negreiro. Nesse período, um grande número de africanos provenientes das regiões de Gana, Togo e Benim desembarca principalmente nas cidades de Salvador e São Luís do Maranhão. No quarto e último ciclo, observamos o transporte em massa de iorubás para Salvador, que, mesmo não sendo a capital do Brasil desde 1763, continuava, juntamente com a nova capital, Rio de Janeiro, a ser um dos principais portos de entrada de escravos.

A vinda maciça e recente do povo jeje (fon-ewe--adja) e do iorubá ou nagô seria, portanto, a causa de sua forte influência na vida baiana. Se os jejes passam a liderar e desenvolver os primeiros centros religiosos urbanos trazidos do continente africano, estes, com a chegada do povo iorubá, ganham uma nova roupagem e muitas vezes uma nova linguagem. Os iorubás trazem também o seu conhecimento e sua grande capacidade de articulação política. Enquanto a vida religiosa dos jejes é organizada em torno de suas divindades chamadas voduns, que representam simultaneamente as forças da natureza e o mundo ancestral, a do povo iorubá é organizada em torno das divindades chamadas orixás. Têm em comum um oráculo regido por uma divindade única (Fá para os jejes e Ifá para os iorubás) que fala por meio da manipulação de conchas ou de caroços, no que é conhecido no Brasil como jogo de búzios, feito por um sacerdote ou sacerdotisa. Muitos são os pontos comuns entre essas religiões que vão gerar o que passou a ser conhecido como candomblé jeje-nagô.

A presença considerável de prisioneiros de guerra provenientes de classe social elevada e de sacerdotes comprometidos com a preservação do valor de suas tradições e imbuídos dos preceitos religiosos seria fator que impulsionaria a resistência cultural e restauração em terras brasileiras dos costumes religiosos das terras iorubás, que por sua vez guardam um parentesco grande com os dos seus vizinhos da antiga Costa da Mina. É importante ressaltar a coincidência entre a data da emigração em massa dos iorubás para o Brasil, a partir de 1830, e a da queda da antiga cidade de Oyó, capital do reino das terras dos iorubás, vencida e arrasada pelos fulanis em 1835.

Os negros iorubás encontraram em Salvador seus "inimigos", os quais haviam sido dominados por séculos e também sofrido reveses: jejes, hauçás, axantes, fulanis, entre outros. Muitos que chegaram a Salvador da costa oeste africana já eram convertidos ao Islã, e no Brasil passaram a ser chamados indistintamente de "malês". Mas os iorubás, última importante etnia a chegar, encontraram também um grande número de congo-angolenses, e seus descendentes, os quais eram chamados de "crioulos", filhos e netos daqueles que aportaram no Brasil durante os períodos anteriores. Com exceção dos malês (de diversas etnias), que utilizavam a língua árabe, e que pregavam os ensinamentos do Alcorão, expulsos por liderarem rebeliões, a grande maioria dos escravos tinha pouca instrução e muitos deles já estava assimilando a cultura católica do dominador: muitos deles encontraram meios de continuar com as duas religiões sem encontrar incompatibilidade entre elas. Importante notar que a pouca instrução se estendia também a toda a população da corte e dos comerciantes, devido à falta de escolas e de um ensino formal. Destaca-se que tanto os jejes quanto os iorubás, convertidos ou não ao Islã, trouxeram para o Brasil avançado conhecimento da forja, da cantaria, das pedras preciosas e da ourivesaria, sendo notável também o trabalho com o couro e seus derivados, e mesmo o manejo de grandes criações de caprinos, bovinos e equinos trazido de suas respectivas culturas originárias das terras africanas.

Entretanto, ressalta-se que, já nesta época, existia a resistência de grupos de religiosos em continuar com suas religiões nativas africanas na diáspora, apesar da obrigatoriedade da obediência aos cultos católicos. Aos primeiros grupos de religiosos foi dado o nome genérico de "batuque", aplicado tanto ao ritual como à simples festa negra. Outro termo, mais específico para o culto, é o de "calundu", de origem congo e angola. No Brasil, nos séculos XVII e XVIII, a palavra "calundu" é associada às práticas de curandeirismo africano que incluía o transe para o convívio com os ancestres, processos de adivinhação e a utilização de ervas medicinais. O termo "calundu" deriva da palavra *quilundo (kilundu)*, de origem quimbundo (língua banta), que designa a possessão de uma pessoa por um espírito (LOPES, 2012). Naturalmente, os curandeiros que praticavam o calundu exerciam grande influência sobre a comunidade negra, pois eram considerados seus líderes religiosos. Muitos deles passaram também a adquirir conhecimentos dos nativos e mesmos de europeus, passando a exercer sua medicina entre os que tinham poucos recursos e os não escravos. Em torno desses curandeiros nasceram os primeiros candomblés, o que é atestado pela própria origem da palavra, que não é nem de origem linguística jeje (fon, ewe, ge) nem iorubá, e sim quicongo-angolana, *Ká-n-dón-id-é* ou *Ká-n-domb-ed-e*, ou, mais frequentemente usado: *Ka-n-domb-el-e*, que é a "ação de orar", um substantivo derivado da forma verbal *ku-dom-ba* ou *kulomba*: orar, saudar ou invocar. Candomblé significa adoração, louvação e invocação. E, por extensão, o lugar onde as cerimônias são realizadas (CASTRO, 1983).

Interessante notar como as lideranças das religiões monoteístas cristã e islâmica, nascidas no deserto do Oriente Médio, endossaram as políticas mercantilistas escravocratas e se pronunciaram em relação à aprovação do tráfico de escravos proveniente da África, não importando se de terras quentes e áridas do Saara ou das florestas úmidas e tropicais abaixo da linha do Equador. Por ocasião da ascensão do Islã, no século VII, a situação da escravidão na península arábica era deplorável. Em seu importante livro *L'esclavage en terre d'Islam*, Malek Chebel nos relata:

> O Alcorão queria acabar com a escravidão decretando uma política de emancipação concretamente seguida por Abu Bakr (falecido em 634), o segundo califa, que dedicou sua fortuna pessoal para a redenção e a libertação de escravos. Mas foi em parte frustrado por Omar (581-644), o terceiro califa do Islã, sucessor imediato de Abu Bakr. O Islã decretou uma política tímida, sem restrições reais para os traficantes de escravos, os Gellab e seus patrocinadores. (CHEBEL, 2010, tradução livre)

Chebel (2010) fornece uma detalhada análise da intepretação dada ao Alcorão pelas autoridades árabes para implementar o tráfico negreiro, transformando o fenômeno da escravidão do infiel em uma questão de adoção ou não de fé e respeito aos ensinamentos do profeta Maomé por meio do conhecimento do livro sagrado do Islã. O Império Árabe se forma, a partir do islamismo, após a morte do profeta Maomé, no ano de 632. Os seguidores do Alcorão acreditavam que deveriam converter todos ao islamismo por meio da guerra santa. Os que se opunham, os infiéis, poderiam ser escravizados sem piedade. Já os escravos convertidos ao Islã deveriam ser poupados, administrando-lhes apenas punições menores do que aquelas infringidas a quem negasse as palavras do profeta. A expansão do Islã em terras africanas, concomitantemente, aumenta o tráfico negreiro, levado a cabo pelos mercadores de escravos. Durante os primeiros dez séculos de escravidão negra (até o século XVI), eles atuaram em várias frentes: tanto na parte do litoral norte e penetrando pelo deserto de Saara em direção às regiões centrais até cidades como Gao e Tombuctu, no antigo Reino de Mali, como a partir da outra fronteira da península arábica, descendo ora o litoral leste rumo ao sul, alcançando Zanzibar, ora penetrando em terras mais próximas vizinhas, ao longo de suas costas como da Núbia, do Sudão, dos países de Zanj e Etiópia. A exportação de negros alimentava não somente o mercado europeu (Córdoba, Barcelona, Gênova, Nápoles e Veneza), mas também todo o Oriente Médio, bem como avançava pelo caminho de Constinopla (Istambul) até cidades mais distantes da Ásia como Bukhara (Usbequistão) e Kashgar (China), seguindo a antiga "Rota da seda", pois todas essas áreas dos três continentes faziam parte do antigo Reino Árabe. A famosa rebelião Zanj, ocorrida perto da cidade de Basra, localizada ao sul do atual Iraque, que teve lugar ao longo de um período de aproximadamente 15 anos

(869-883), indica a enorme quantidade de escravos africanos transportados para esta região. Os motins iniciais culminaram na rebelião de mais de 500 mil escravos que haviam sido importados pelo califado muçulmano, que custou dezenas de milhares de vidas no baixo Iraque.

Com as descobertas marítimas pelos países ibéricos, o mercado de escravos se expandiu em direção ao oeste e ao sul da África, e atingiu principalmente as cidades e os impérios localizados na costa atlântica, impulsionados pelos novos mercados e com a adesão às políticas escravocratas de outros países, como França, Holanda e Inglaterra. Nunca cristãos e mouros tiveram tão amistosas relações, colaborando no processo de mercantilização da mão de obra escrava ao transformar a economia local africana (agricultura e pecuária) em produção de guerras fratricidas para gerar mais cativos e armazenar em maior quantidade a mercadoria humana: corpos para cuidar do plantio, da colheita, da estocagem, do transporte de tudo que se podia produzir nas Américas. A adoção da escravatura vinha assim tentar suprir a grande falta de mão de obra que também se verificava por toda a Europa, devido à recorrência de epidemias.

Em Portugal, a regulamentação da escravatura era legislada nas Ordenações Manuelinas: três diferentes sistemas de preceitos jurídicos que compilaram a totalidade da legislação portuguesa, de 1512-1513 a

1605, promulgados pelo rei Manuel I de Portugal para adequar a administração no Reino ao enorme crescimento do Império Português na era dos descobrimentos (DESCOBERTO, 2021). O mais antigo registro de envio de escravos africanos para o Brasil data de 1533, quando Pero de Góis, capitão-mor da Costa do Brasil, solicitou ao rei a remessa de 17 negros para a sua capitania de São Tomé, atuais municípios de Paraíba do Sul e Macaé, Rio de Janeiro (DEUS, 2010, p. 77).

A Igreja Católica também apostou neste lucrativo e infame comércio com o pretexto de adquirir novas almas (CARVALHO, 1985). A bula *Dum diversas* e o breve *Divino amore communiti*, do papa Nicolau V, ambos de 1452, autorizavam os portugueses a reduzirem os africanos à condição de escravos com o intuito de cristianizá-los (JORDÃO, 1868, p. 22-23, 24). O negro passou a ter alma, de acordo com a Igreja Católica, somente a partir de 1741, quando o breve *Immensa pastorum*, do papa Bento XIV (1759), atestava que os negros, apesar de infiéis, poderiam ser convertidos como todas as outras raças. Devemos esclarecer, porém, que esta aceitação da alma no negro significava a imposição de uma espiritualidade atrelada aos conceitos do cristianismo, uma alma branca. Jamais a Igreja poderia suspeitar quão original era a concepção de alma trazida pelos escravos negros, a sua imbatível fé, a profundidade de seus mitos e a complexidade de seus ritos.

A manifestação das crenças nativas africanas, de grupos concentrados principalmente na Bahia, em Pernambuco, no Maranhão e no Rio de Janeiro, trouxe novas formas de sentir e pensar a relação com a Terra e o Universo (BINON, 1970, 1981; COSSARD, 2006; VERGER, 2012). Dentre os diversos grupos étnicos, os iorubás, angolas e jejes se destacaram pelas heranças deixadas, visíveis até hoje, balanceadas por uma filosofia realmente animista e por uma crença religiosa que tem como preceito a harmonização com as forças vivas da natureza, onde se pode sentir e conviver com a presença divina dos orixás, dos inquices e dos voduns (nomes genéricos das divindades iorubás, congo-angolanas e daomeanas, respectivamente). É importante, no entanto, diferenciar o termo "vodum", divindade de origem do grupo jeje (do antigo Reino de Daomé, atual república de Benim) do termo "vodu", religião criada no Haiti entre os séculos XVI e XVIII por descendentes de africanos (BLIER, 1995).

Como foi possível a sobrevivência dessas tradições religiosas e culturais nas Américas e no Caribe?

Gisèle Cossard (2006, p. 26-27) chama a atenção para o fato de que, na África, o indivíduo que se destribalizava e deixava sua floresta longínqua para tentar a sorte na cidade se desapegava rápido do seu passado, abandonava a sua fé tradicional e adotava novos costumes. Nesse sentido, tanto o islamismo quanto o cristianismo "representavam, então, um progresso, uma promoção social que encorajava os contatos, cada dia mais numerosos, com a civilização europeia". A autora acrescenta ainda que o fenômeno se inverteu no Brasil porque o escravo se apegava às suas lembranças e possuía a força de suportar seus males dentro dessa fidelidade às suas origens.

Ao contrário do papel desempenhado pela Igreja europeia, as religiões africanas no Novo Mundo têm atuado, desde o começo, como verdadeiros centros comunitários que zelam pelo equilíbrio psicoemocional de seus componentes e que, por meio de sua medicina botânica milenar, cuidam da saúde de seus membros. Igualmente notáveis têm sido as heranças deixadas às novas gerações de artesãos e artistas do binômio indissociável arte-religião.

Breve história do candomblé no Brasil

O culto aos orixás, aos voduns e aos inquices existiu desde que os africanos aportaram no Brasil, sob a denominação genérica de batuque. Nas matas, nos rios, no interior das senzalas, o batuque se fazia ouvir, mas sempre longe dos olhos dos senhores, no esconso, fugitivo, nômade, como fé e memória, sob o peso da proibição oficial. Logo após a permissão ao batuque, as religiões africanas começam a mostrar a sua cara. Porém, os registros historiográficos surgem somente a partir da relação que seus fiéis estabelecem com a religião do colonizador português.

Os africanos encontraram no Brasil um clima tropical úmido e extensas florestas, em muito semelhantes às deixadas em suas terras. Este fato torna bastante compreensível que as religiões africanas, por sua forte ligação com a natureza e seus elementos, tenham encontrado no solo brasileiro as mesmas vibrações presentes em seu meio ambiente natal. A necessidade de procurar o seu axé (energia vital) nestas forças tornou-se, aqui, mais necessária do que na África, pois os opressores portugueses não apenas os destituíam da própria liberdade, mas também os privavam de ter família.

A Igreja, que a princípio incentivou a importação dos escravos para proteger os índios nativos, mostrou-se aos poucos mais clemente para com os negros, passando a acobertar suas manifestações religiosas, desde que eles fossem batizados e adorassem as imagens dos santos. A permissão ao batuque, seguida da benevolência da Igreja em relação ao sincretismo, normalizou, em certo sentido, uma prática clandestina realizada nas matas ou perto dos rios. Por outro lado, a opressão indiscriminada de todas as etnias africanas e seus respectivos cultos propiciou uma ampla fusão de elementos na constituição do candomblé, com supremacia da cosmogonia iorubá sobre as demais.

Nostalgia e rebelião eram sentimentos presentes no começo do século XIX na Bahia. Inúmeras foram as revoltas dos escravos, bem como as tentativas de organização em quilombos isolados. Uma situação de infortúnio comum, a luta pela liberdade e a restauração dos elos perdidos com a África eram fortes razões para unir etnias inimigas e nações tradicionalmente rivais.

Conscientes desse potencial, os senhores mudaram de estratégia em relação aos escravos, permitindo que se reagrupassem por etnia, por nação, aos domingos, sob sua tutela, para dançar e cantar em seus batuques. O Conde dos Arcos (Marcos de Noronha e Brito, último vice-rei do Brasil, de 1806 a 1808, e governador da Bahia de 1810 a 1816) demonstrava o porquê desse novo ponto de vista:

> O governo, porém, olha para os batuques como para um ato que obriga os negros, insensível e maquinalmente, de oito em oito dias, a renovar as ideias de aversão recíproca que eram naturais desde que nasceram, e que todavia vão se apagando pouco a pouco com a desgraça comum; ideias que pode considerar-se como o garante mais poderoso da segurança das grandes cidades do Brasil, pois que se uma vez as diferentes nações da África se esqueceram totalmente da raiva com que a natureza os desuniu [...] grandíssimo e inevitável perigo desde então assombrará e desolará o Brasil. E quem duvidará que a desgraça tem o poder de fraternizar os desgraçados? Ora, pois, proibir o único ato de desunião entre os negros vem a ser o mesmo que promover o governo indiretamente a união entre eles, do que não posso ver senão terríveis consequências. (citado em VERGER, 2012, p. 21)

Tal conduta, entretanto, em vez de acirrar as contradições entre etnias, promoveu uma verdadeira confraternização. Além do mais, a permissão ao batuque foi o que possibilitou a reconstituição, em solo brasileiro, dos cantos e danças ancestrais, bem como facilitou (embora sob disfarce) a adoração das divindades africanas.

De grande importância foi a possibilidade aberta de englobar, num mesmo evento, as diversas etnias, numa celebração pacifista e, aparentemente, não litúrgica. Neste sentido, o batuque serviu como catalisador, combinando elementos de várias etnias e nações, num exemplo do que aconteceria, algumas décadas mais tarde, na criação dos primeiros candomblés em Salvador.

Nas grandes cidades, a Igreja criou irmandades e confrarias de pretos, exclusivamente para cuidar de suas "almas" longe dos "senhores brancos". Muitas confrarias tornaram-se famosas pelo grande número de fiéis. Sob sua égide, muitos ritos africanos eram celebrados, tendo os dogmas de Cristo apenas como fachada.

Protegidos pela confraria, muitos cultos africanos foram perpetuados, apenas camuflados pelos rituais católicos. Portanto, neste caso, a ideia de utilizar a imagem de um santo cristão como referência a uma divindade de origem africana nada tem a ver com uma verdadeira adoração feita à imagem do santo. Trata-se de um disfarce.

Em muitos casos, a palavra "calundu" passa ser aplicada às atividades especificamente religiosas com proposito terapêutico e oracular, desenvolvidas não apenas por uma pessoa, mas uma "sociedade", ou, como define João José Reis (1986), "uma comunidade religiosa em formação". Luis Nicolau Parés chama a atenção:

> Contudo, os calundus podiam, em alguns casos, designar grupos organizados com práticas rituais coletivas, que envolviam mais participantes do que simplesmente o curador-adivinho e seus clientes. E aponta para a organização de bailes com propósito devocional em irmandades de negros da Costa da Mina (jejes – falantes de gbe: fon, ewe e adja) com um corpo em processo de organização já nesta época (proveniente de uma sociedade africana pluricultural e poliétnica), e cita a carta do Conde de Povolide, de 1738, na qual o nobre descreve, segundo sua ótica, detalhes de uma festa na casa de pretos da Costa da Mina, a qual possuía um altar com ídolos, adorando "bodes vivos, e outros feitiços de barro, untando seus corpos com diversos óleos, sangue de galo, dando a comer bolos de milho depois de diversas bençoes [sic] supersticiosas, fazendo crer aos rústicos que naquelas unções de pão dão fortuna, fazem querer bem mulheres a homens, e homens a mulheres". (PARÉS, 2007, p. 115)

Desta forma, é possível perceber como os calundus centralizados na figura de um adivinho de origem congo-angolana vão se transformando em formas organizadas (casas e roças) pelos grupos provenientes da Costa da Mina: "cabe lembrar que os jejes compunham o grupo demograficamente mais importante daquela parte da costa africana na Bahia (sec. XVIII)" (PARÉS, 2007, p. 116).

A palavra "candomblé" substitui a palavra "calundu" a partir do começo do século XVIII, e inclusive em registros das prisões executadas pelas autoridades, contando com a participação de escravos libertos e fugidos. As investigações do historiador João José Reis (1986) são extremamente importantes, pois vão revelar pela primeira vez o culto ao "Deus Vodum" em 1830, na localidade de Accú (atual Acupé), na Bahia. Segundo pesquisas de Reis e Parés, a partir de registros policiais e notícias de jornais da época, há uma mudança na liderança de africanos para os negros brasileiros a partir da segunda metade do século XIX e também uma crescente presença de mestiços e brancos, inclusive de policiais. Somente a partir da década de 40 do século XX é que se observa a preponderância de líderes femininas do candomblé, como chama a atenção a antropóloga norte-americana Ruth Landes (1967) em seu célebre livro *Cidade das mulheres*.

Existe uma tradição oral sobre a origem do primeiro candomblé como sendo apenas iorubá: ele teria sido fundado por antigas escravas libertas, originárias de Keto – cidade fronteiriça entre os reinos iorubá (Oyó) e jeje (Daomé). O terreiro, inicialmente chamado de Iya Omi Asé Aira Intilé, conhecido atualmente como Casa Branca, seria mais tarde rebatizado com o nome de Ilê Axé Iyá Nassô, quando transportado para o Engenho Velho, existindo até hoje nesse mesmo local. Essa casa foi a matriz de outros importantes terreiros fundados em meados do século XIX, entre os quais a Sociedade São Jorge do Gantois (Ilê Omi Axé Iyá Massê) e o Ilê Axé Opô Afonjá. Entretanto, seus primeiros documentos datam somente a partir de 1858, corroborando a hipótese de Parés de o candomblé ter a sua fundação desenvolvida pelos jejes; ser um fenômeno anteriormente difundido, debatido e liderado essencialmente por negros e negras falantes de dje ainda nos primórdios do século XIX, conforme farta documentação encontrada. Parés também refuta, de forma convincente, a tese dos reconhecidos estudos afro-brasileiros (como os de Pierre Verger, Roger Bastide, Juana Elbein dos Santos e Edson Carneiro) de que tenha sido neste terreiro o início do culto simultâneo de várias divindades africanas de diversas procedências, "como consequência das novas condições da sociedade escravista e do encontro das várias etnias". Segundo o autor, não se trata de uma inovação brasileira, já que:

> [...] uma das características da religião do vodum é a conceituação do mundo espiritual em *constelações* ou *grupos de divindades*, e um dos seus elementos estruturais é a organização de congregações religiosas dedicadas ao culto coletivo de um número variável de voduns, com rituais públicos que utilizam formas de performances variadas. (PARÉS, 2007, p. 262)

Além do mais, os povos falantes de gbe têm uma longa história de migrações e de transplante de seus templos sagrados e seus espaços religiosos comunitários muito antes de chegarem às Américas.

Os terreiros e as casas de candomblé proliferaram com rapidez em Salvador após a libertação dos escravos. Marginalizados, sem possibilidade de ascensão social e de trabalho digno, privados de exercer a cidadania, negros e mestiços estavam bem longe dos ideais da recém-proclamada República. No candomblé se forja uma nova identidade racial em novos espaços, ao executar os cultos ancestrais africanos. Os antigos sacerdotes africanos vão desaparecendo enquanto surge a ideia da "africanização das casas de santo" como processo de legitimação de uma identidade afro-brasileira. Em Salvador, Donald Pierson (1971) calculava o número de terreiros, por volta de 1937, entre 70 e 100. Embora em alguns se mantivessem as tradições nagôs de forma ortodoxa, outros se declaravam jeje-nagô, jeje-mahi, ou ainda, devido à grande quantidade de membros de origem banta, incorporaram tradições, músicas e cultos angola-conguenses (especificamente), como uma consequência natural, sendo então criados os candomblés do congo ou candomblés de angola.

Houve também terreiros e casas que incorporaram elementos do xamanismo nativo, passando a constituir os chamados candomblés de caboclo, muito populares na região Norte, no interior do Nordeste e presentes também no estado da Bahia. É interessante notar como a força e o poder do candomblé têm-se espalhado, influenciando decisivamente religiões mais recentes, como por exemplo a umbanda e até mesmo o tambor de mina, e a encantaria no Maranhão e em alguns estados da região Norte.

O candomblé nosso de cada dia

Segundo Dorival Caymmi (1957),

> Quem quiser vatapá, [...] que procure fazer, primeiro o fubá, depois o dendê [...] Amendoim, camarão, rala um coco [...] sal com gengibre e cebola, [...] na hora de temperar [...]. Tudo sob a supervisão especializada de uma nêga baiana [...] que saiba mexer.

Porque a preta baiana é a imagem popularizada da iaô (filha de santo) do candomblé, e o vatapá, o acarajé, o caruru são iguarias típicas da cozinha brasileira que, sobretudo na Bahia, estenderam à apreciação dos mortais os pratos preferidos pelos deuses africanos.

A *Brazilian bombshell* Carmem Miranda, cujas marcas registradas eram as saias com babados e rendas, a cabeça decorada com turbantes cheios de frutas, as argolas douradas, os colares de contas e outros balangandãs, lembra em cada detalhe a baiana/iaô. Seu gestual característico, com as mãos ligeiras descrevendo pequenos círculos em torno do rosto, é igualmente uma alusão à dança de alguns orixás. Já Clara Nunes, a Clara Guerreira, era assumidamente uma filha de Iansã; usava roupas brancas, ainda mais próximas dos trajes das iaôs, fez vários videoclipes dançando como tal e recheava seu repertório de canções para as divindades do candomblé.

A música popular brasileira é o campo que mais se abre às influências do candomblé. Nela observa-se a presença explícita da tradição dos orixás. As composições populares de raiz afro-brasileira mencionam comumente os nomes de várias entidades espirituais. Dorival Caymmi, muito ligado ao mar, inclui Janaína/Iemanjá em inúmeras faixas de sua discografia. Oxalá, Xangô, Oxóssi e Oxum são orixás sempre lembrados em letras de compositores como Caetano Veloso e Gilberto Gil. *Iansã, cadê Ogum?* é o título de um samba inesquecível que ajudou a consagrar Clara Nunes como grande intérprete da MPB.

A polirritmia característica da MPB também expressa a força dos orixás na vida cultural do povo brasileiro, uma vez que muitos dos ritmos utilizados para invocar entidades nos cultos das religiões afro foram sendo incorporados pelas manifestações profanas. Essa "presença divina", no dia a dia festeiro das pessoas comuns, ocorre de diversos modos. Às vezes espontaneamente, como no princípio das escolas de samba do Rio – que, sabidamente, nasceram sob a proteção de líderes religiosos e comunitários das populações negro-mestiças, nos morros e subúrbios da cidade; outras vezes, de modo mais intencional e político, como nos desfiles do Grêmio Recreativo de Arte Negra e Samba Quilombo dos Palmares (do Rio de Janeiro), ou nos espetáculos do Grupo Cultural Olodum (de Salvador).

O carnaval talvez seja a festa profana onde a afinidade entre o povo e o candomblé é exposta com mais liberdade. Seja pela tradicional Ala das Baianas, no Rio de Janeiro, ou pela imperdível saída do Afoxé Filhos de Gandhi (composto por fiéis do candomblé), no carnaval de Salvador. Nas comemorações católicas, lá estão as baianas-quituteiras-iaôs marcando presença outra vez: folguedos juninos, festa da Penha (Rio) ou lavagem do Bonfim (Salvador). Na passagem do ano, o litoral carioca fica repleto de gente vestida de branco (uma das cores de Iemanjá). Podemos ver pessoas em roda, batendo palmas cadenciadas e cantando canções ritualísticas. Depois, oferecem flores à poderosa rainha das águas salgadas, pedindo que o ano que chega seja melhor do que aquele que passou.

E quem nunca ouviu falar de Saci-pererê? Pois pouca gente sabe que esse negrinho de uma perna só é conhecido no candomblé como Aroni, companheiro do orixá Ossâim, senhor de todas as folhas selvagens. A escritora Natália Bolívar Aróstegui (1990) escreveu que, em Cuba, Aroni é considerado um Exu, que governa todos os caminhos da selva e que nunca para de pitar um pequeno cachimbo de barro. Talvez por isso os escravos tenham difundido a imagem do Saci como um negrinho endiabrado, que vive pregando peças e exige que lhe ofereçam fumo antes de entrar na floresta. Como as lendas do Saci, muitas outras crendices populares possuem forte relação com a vasta mitologia do candomblé, a qual se fortalece ainda mais no imaginário do povo brasileiro quando se encontra com os mitos indígenas, pois ambas as correntes (africana e indígena) são próprias dos ambientes tropicais.

Alguns termos do vocabulário giriesco foram primeiro utilizados entre as pessoas "do santo". Expressões como "ficar odara" e "cabeça-feita" saíram dos terreiros para ganhar outros espaços. Odara é um termo iorubá que significa "é bom, é belo", largamente difundido pela canção homônima de Caetano Veloso; cabeça-feita é o que se diz, em gíria, da pessoa que tem ideias firmes, já formadas – originalmente, porém, a expressão se refere à pessoa que fez a cabeça para o santo, que raspou a cabeça e viveu todo o processo de iniciação no candomblé.

O uso de panos da costa, com sua estamparia característica, é outra marca do candomblé que influenciou os hábitos brasileiros; do mesmo modo que vestir roupa branca às sextas-feiras é um gesto de reverência a Oxalá.

O artesanato popular de inúmeras regiões é enriquecido pela inspiração dos orixás. O mais notável ilustrador deste universo cultural é sem dúvida Carybé. Seus desenhos e gravuras podem ser encontrados na extensa obra literária de Pierre Verger e Jorge Amado, que, por sua vez, divulgam o candomblé e os orixás no mundo inteiro.

PARTE 2

A RELIGIÃO DOS ORIXÁS

O axé, suas cores e formas

Axé tornou-se uma palavra conhecida no Brasil, e significa atualmente, na linguagem popular, "boa energia" ou "alto astral". Verificando sua etimologia iorubá, vemos que o sentido atual não difere muito do termo original, tendo sido apenas atenuado o seu grau de religiosidade. De acordo com a tradição religiosa iorubana, o axé é compreendido como energia vital, verdadeira presença de Deus nas forças e formas da natureza, assim como no interior dos seres humanos. Axé também é, na filosofia do candomblé, o poder de fazer coisas acontecerem, comando espiritual, poder de invocar, oração, agradecimento, luz própria de Deus tornada acessível aos homens e mulheres. Na religião iorubá, Olorum, divindade suprema e força vital, é a quintessência do axé. Em seu livro *Ìwa-pèlé: Ifá quest*, Awo Fá'lokun Fatunmbi nos dá uma ideia do surgimento do axé no mundo:

> De acordo com Ifá, o momento de criação gerou uma única força conhecida como axé. Essa força se manifesta na forma polar como expansão e contração. A força de expansão cria luz, e a força de contração cria a matéria. A interação harmoniosa entre luz e matéria é responsável pela boa sorte, conhecida em iorubá como *irê*. (FATUNMBI, 1991, p. 82, tradução livre)

Branco, preto e vermelho são as cores do axé. As três cores sintetizam as manifestações cromáticas da divindade nos reinos animal, vegetal e mineral.

O branco revela as cores do leite, do esperma, das secreções do corpo. Representa a luz solar responsável pelo oxigênio que respiramos e por toda a vida na Terra. O branco simboliza também a origem de toda a matéria, e todas as cores numa só. A cor branca, em si, revela o orixá Obatalá (Oxalá), um dos criadores do mundo. Branco é a cor do plasma do *igbin* (caracol), comida preferida desse orixá. O *efun* (giz) é branco, e na África é feito de argila branca, que, misturada com sal branco, é usada em muitos rituais. No reino mineral, são associados ao branco: a prata, o chumbo e o estanho.

O preto é a cor do carvão, do ferro e, portanto, da terra. É a matéria em sua forma receptiva, simboliza o princípio feminino, útero da natureza onde a vida morre, fermenta e nasce novamente. Todas as cores escuras são associadas ao preto, inclusive o verde e o azul. As cinzas dos animais sacrificados e calcinados compõem o axé no elemento preto.

O amarelo e o laranja são considerados emanações do vermelho. Vermelho é a cor do sangue humano e dos animais, bem como o seu equivalente no reino vegetal; o azeite de dendê, visto como verdadeira seiva divina. O vermelho, para os iorubás, é considerado a suprema presença da cor, pois assinala a potencialidade do que existe e do que está para existir. O cobre, o latão e o ouro são agrupados dentro dessa cor por sua tonalidade abrasiva.

Além das cores e elementos naturais como pedras e árvores, o axé é catalisado nas obras de arte, sobretudo nas esculturas. Os povos iorubás nos deixaram obras raras onde podemos perceber a riqueza e a simbologia dos elementos que compõem o axé. Tais objetos transcendem as suas funções corriqueiras e transformam-se em armazenadores da energia do axé.

A criação de um terreiro de candomblé implica o assentamento do axé. Essa é uma tarefa longa, que inclui uma complexidade de etapas e rituais, tais como: a preparação das pedras sagradas, o plantio de árvores sagradas e o assentamento dos axés específicos de cada orixá. Numa perspectiva contemporânea, poderíamos dizer que o candomblé cria uma usina de catalisação do axé.

Diversas têm sido as manifestações carnais do axé, de acordo com a tradição iorubá. Quando Deus veio ao mundo, Ele o materializou em diversas formas como a jiboia-real, a víbora-do-gabão ou mesmo a minhoca. Entre os pássaros, a divina presença é notada sobretudo naqueles de bico longo, entre os quais o mais popular é o pica-pau. Assim, Deus teria oferecido a eles o poder de dar e tirar a vida, o axé, o poder de fazer coisas acontecerem. Esses mensageiros refletem a própria complexidade do axé enquanto energia. Alguns são perigosos, com presas e venenos, outros são lentos e inofensivos, mas todos são poderosos; até mesmo a minhoca, que tem o poder de ventilar e refrescar a terra. Tudo é parte do ciclo vital da natureza, e o axé se manifesta tanto sob a forma do zigue-zague de um raio fulminante como no sinuoso fio d'água de uma nascente nas montanhas.

Cosmogonia iorubá

Vamos tratar a cosmogonia do candomblé partindo do ponto de vista iorubá, mas temos de reconhecer que, embora tratemos de um panteão de orixás, estamos falando de uma religião que foi formatada no Brasil pelos jejes, que imprimiram suas formas organizacionais e litúrgicas em torno da diversidade de divindades cultuadas, os voduns, em um mesmo espaço, da mesma forma como haviam feito em suas terras africanas no golfo de Benim. À medida que os iorubás, conhecidos como nagôs principalmente no Brasil, assumiram a liderança dos candomblés na Bahia, e posteriormente os exportaram para outras capitais, gradativamente o termo orixá passou a substituir o termo vodum; empregado no mesmo sentido de divindade mitológica, ancestre divinizado, que corresponde às forças da natureza provenientes do céu, das águas e das florestas.

Se tradicionalmente percebeu-se que os voduns nestes países de origem africana eram principalmente organizados em torno das divindades do fogo e das águas, posteriormente ganharam notoriedade as divindades das florestas. Em torno de um vodum líder, constelações de outros voduns foram sendo acopladas, como verdadeiro bordado de trilhas migratórias de povos em êxodo fugindo de guerras ou em busca de conquistas, assim, novas famílias de voduns foram constituídas como satélites dos antigos.

Estudiosos tradicionais da cultura brasileira apontaram para o fato de que na África, originalmente, os orixás eram cultuados de forma quase monoteísta em suas respectivas regiões, e que, no Brasil, os orixás passaram a ser cultuados num mesmo espaço, de forma a constituírem também famílias de santos, criando uma espécie de panteão iorubá. Incialmente atribuiu-se este fato à nova contextualização social (BASTIDE, 1961; VERGER, 1981). Mas essa tese foi contestada, e outros estudiosos atribuíram o fato mais a uma influência jeje na formação do candomblé, com suas famílias de divindades e de cultos simultâneos, à maneira como já acontecia em terras africanas.

Essas formas híbridas jeje-iorubás, assumidas por muitos candomblés, encontram extrema facilidade pelo fato de haver uma equivalência entre voduns e orixás: seus atributos e qualidades parecem derivar de uma mesma visão cosmogônica do mundo. O ser humano tem o seu equilíbrio regido por sua relação com um comprometimento ético com o seu semelhante, e com a harmonia com as forças da natureza que estão dentro e fora dele. Os orixás e voduns são forças que estão na natureza e que, uma vez incorporados pelos humanos, os fortalecem e os impulsionam para a plenitude de suas vidas. O panteão jeje-iorubá reflete uma visão multicultural e plural de comportamentos humanos, cada orixá-vodun rege uma região da natureza em sua diversidade nos reinos animal, vegetal e mineral e evoca atitudes, reflexões, ponderações e possíveis resoluções de problemas. Ao cultuar um vodun-orixá, o indivíduo não apenas se prostra diante de uma força da natureza que é maior do ele, mas busca reacender dentro de si essa força adormecida, massacrada, ou esquecida por uma sociedade voltada para o consumo imediato e o desprezo pela natureza. O restabelecimento dessas forças, fora e dentro de sua cabeça, a parte sagrada do seu corpo, é o verdadeiro sentido da religião – religação com as forças divinas.

Os orixás cultuados no Brasil muitas vezes apresentam elementos tomados da origem jeje, e, portanto, ao analisar o simbolismo original iorubá, devemos sempre estar atentos, pois podemos ser surpreendidos por algo consolidado nesta tradição como pertencente a uma raiz e ser originalmente de outra. Por exemplo, a própria palavra "vodun" é utilizada largamente no nagô falado no candomblé do Brasil para significar o mais sagrado que possa existir. O próprio assentamento de Exu muitas vezes tem a sua forma não iorubá, mas jeje.

Originalmente, a divindade suprema iorubá era representada pela trilogia Olófi-Olodumaré-Olorum. Essa forma de pensar a divindade como algo absoluto, que paira acima de tudo e de todos, é parte intrínseca da metafísica iorubana. Embora essa tríade possua alguns pontos semelhantes com a Santíssima Trindade Católica, não deve de forma alguma ser comparada ou mesmo percebida como fruto de alguma sincretização. Ela existia na religião iorubá muito antes da chegada dos primeiros jesuítas em solo africano. De acordo com a cosmogonia iorubana, o Ser Supremo se projetou em três entidades: o Criador, em contato direto com os orixás e os homens, é personificado em Olófi; a sujeição às leis da natureza, a lei universal em si mesma, é definida como Olodumaré; e a força vital, energia universal, identificada com o Sol, é personificada em Olorum.

Em muitos mitos, Olófi é considerado o criador do mundo. Ele era tão poderoso que fazer o mundo lhe parecia muito fácil; mas uma coisa é fazer algo, e outra é colocá-lo em funcionamento. Quando ele distribuiu os cargos entre Seus filhos, se deparou com o fato de que os homens estavam sempre lutando entre si, e teve que fazer de Ayguna o orixá das pendências. Como

Olófi é a paz, por ser completo, ele não compreendia por que Ayguna estava sempre atiçando brigas. Assim, um dia lhe disse: "Por favor, meu filho." Mas Ayguna lhe respondeu: "Se não há discórdia não há progresso, porque fazendo o que querem dois, querem quatro e triunfa o que é mais capaz, e o mundo avança." "Bem", disse Olófi, "se é assim, o mundo durará até o dia em que lhe deres a espada à guerra e caias sobre a terra a descansar". Esse dia não chegou ainda, mas Olófi se desiludiu, e desde então já não intervém nas coisas do mundo.

Olófi nasceu do nada, por si mesmo. Vive retirado e poucas vezes vem ao mundo. Ele praticamente não é lembrado no Brasil. Sua representação como velho de cabeça branca, cansado e de vestes brancas pode ser confundida com Oxalá (Obatalá), considerado por muitos o pai de todos os outros orixás.

Olodumaré é a manifestação de tudo que existe, o universo e todos os seus componentes. A ele nada se pede e não é possível contactá-lo. É indecifrável, a pronúncia do seu nome deve ser seguida de uma reverência, tocando-se a terra com os dedos.

O mito da criação do Ifá ensina que todas as formas foram colocadas no universo no começo dos tempos. O espírito primal, que sustenta a forma como elemento da criação, é Olodumaré. Alguns dicionários iorubá-inglês o definem como "Deus em Si Mesmo". No sentido metafísico, isso significa que Olodumaré é o aspecto de Olorum que tem existência física.

Dessa forma, Olodumaré se aproxima do conceito teológico ocidental conhecido como panteísmo – a crença de que tudo no universo físico é uma expressão da divindade. Olodumaré pode ser entendido como o arquétipo ou o repositório de todas as formas que dão configuração à matéria; um símbolo universal da substância.

Olorum, no entendimento popular, é o céu, mas no sentido mais profundo é interpretado como a energia vital. Podemos sentir a sua presença, mas não podemos tocá-la, visível apenas como o raio de Sol. É o sopro de vida, fonte de energia e luz. É comum entre os babalaôs saudar Olorum abrindo os braços com as palmas das mãos para cima, diante do Sol.

Segundo a tradição nagô no Brasil, quem ordenou a Oxalá que criasse o mundo foi Olorum e não Olófi, como se acredita em Cuba. Oxalá então chamou todos os outros orixás para irem com ele criar o mundo. Odudua foi a única que não pôde ir, pois tinha que dar uma obrigação, fazer uma oferenda para Olorum. Assim, todos os orixás acompanharam Oxalá, e Odudua ficou. No caminho, Oxalá encontrou Exu, que lembrou-lhe que também ele tinha que dar obrigações antes de viajar. Mas Oxalá não deu importância e continuou viagem. No caminho, sentiu sede, mas prosseguiu. Até que avistou uma palmeira e, sem conseguir controlar a própria sede, abriu um buraco no tronco da palmeira com o seu opaxoró (cajado). Sofregamente, bebeu o vinho da palma até desmaiar.

Enquanto isso, Odudua foi consultar o Ifá e depois fazer as obrigações conforme reveladas pelo babalaô. A última coisa que ela tinha que fazer era levar uma oferenda para Olorum. Ele ficou zangado quando notou que ela não tinha acompanhado os outros orixás conforme ele ordenara. Ela argumentou que seguia as ordens de Ifá; então, Olorum aceitou a oferenda de bom grado. Mas nesse momento Olorum lembrou-se de algo muito importante para a criação do mundo que ele se esquecera de entregar a Oxalá: um saco de terra. Odudua foi encarregada de levar o saco e entregá-lo a Oxalá: e assim, com o saco nas costas, ela viajou procurando por Oxalá. Finalmente o encontrou: ele estava desmaiado, com os outros orixás à sua volta. Odudua tentou reanimá-lo mas não conseguiu; então, pegou o saco de terra, colocou-o nas costas e voltou até os pés de Olorum. Este então decidiu entregar a Odudua a tarefa de criar a Terra. Ela carregou o saco até o lugar determinado por Olorum, e criou a Terra.

O mito da criação nos remete aos riscos do não cumprimento dos preceitos do Ifá. Para os seguidores da religião, a consulta ao Ifá, popularmente conhecida como jogo de búzios, é uma prática religiosa que quase sempre precede uma oferenda. "Dar uma obrigação" é o mesmo que uma oferenda votiva. No mito da criação da Terra, Exu é o guardião do oráculo, e mais tarde veremos que é também o mensageiro entre os orixás e os humanos.

Os orixás e a natureza

Ao longo deste livro, menciono diversas vezes a íntima ligação que existe entre os orixás e a natureza. Ressalto também a importância das folhas e dos ambientes naturais para a liturgia do candomblé.

A começar pela apreensão do conceito de "axé", o caminho de um aprendiz da religião dos orixás é frequentemente permeado por noções e experiências que visam a elevar o fiel a estados de compreensão mística da natureza, promovendo a comunhão com os seres visíveis e invisíveis que a habitam. Isto porque o candomblé é fortemente apoiado no uso de oráculos como forma de comunicação direta com as forças inteligentes da natureza (orixás) e com os demais espíritos que se expressam por meio dos fenômenos naturais.

Depois que o mundo foi criado, cada orixá recebeu uma parte do axé, que lhe dava poder sobre um dos diversos tipos de seres e coisas manifestados no mundo material. Cada orixá representa uma força diferente da natureza e, apurando nossa sensibilidade, podemos verificar que a presença de um orixá é mais viva nos ambientes naturais que lhe correspondem. Assim, Oxum (água doce) será encontrada nos rios e cachoeiras; Oxalá, Odudua (ar) e Iansã (vento) são acessíveis no alto das montanhas; Iemanjá, nas praias; para contactar Oxóssi (caçador), Ossâim (folhas) ou Ogum (ferro, terra masculina), o local indicado é a floresta; querendo aproximar-se de Xangô (trovão), a melhor escolha é uma boa pedreira, pois seria muito arriscado estar ao lado de um para-raios durante uma tempestade. Esta primeira constatação nos ajudará a entender as maneiras pelas quais determinados cenários naturais podem funcionar como verdadeiros oráculos, onde a interação com os elementos auxilia a pessoa no autoesclarecimento e na resolução de problemas.

O escritor Awo Fá'lokun Fatunmbi (1991), sacerdote de Ifá (orixá da adivinhação), recomenda ao principiante que escolha um orixá de um dos elementos fundamentais (terra, fogo, água ou ar) para estudo e oração. Os elementos, se analisados metafisicamente, possuem afinidades com questões específicas da alma humana e podem influir nos percalços de nosso caminho pela espiritualidade. A reunião dos pontos até aqui abordados sugere a conexão explícita entre os universos divino, humano e natural.

Orixás associados com o ar (Oxalá, Odudua) são geralmente envolvidos com questões de ética e bom caráter. No cerne desse interesse está a atitude de considerar questões metafísicas e uma curiosidade sobre a natureza da criação. Orixás associados com a terra (Ogum, Oxóssi, Ossâim) enfatizam questões da sobrevivência, tais como: ecologia, construção da saúde e segurança da casa. Eles guiam empreitadas artísticas tais como escultura e trabalho em metal. Orixás associados com a água (Iemanjá, Olôkum) são nutridores. Isso inclui o interesse em saúde mental e física. O elemento da água (Oxum) é também essencial para questões de fertilidade e abundância. Na cultura iorubá, fertilidade e abundância propiciam uma vida rica e alegre. Orixás associados com o fogo (Xangô, Agayú) estão no cerne de qualquer processo de transformação. Fogo é o elemento que tempera a cabeça durante a iniciação. Paixão é considerada um aspecto do fogo. A ideia da paixão inclui relacionamento pessoal e interesse na justiça social.

Outras formas de relacionamento religioso com a natureza são praticadas nos candomblés de caboclo. Nessa modalidade, o candomblé apresenta um caráter marcadamente sincrético, sobretudo por mesclar tradições indígenas e africanas. Os caboclos são espíritos de indígenas, negros ou mestiços que viveram "no mato", e seu culto é mais comum nos terreiros de linha congo-angolana, onde se acredita que "todo iniciado é acompanhado por um caboclo que, cedo ou tarde, se manifestará". Gisèle Cossard (1970), em *Contribution à l'étude des candomblés au Brésil: le candomblé angola*, descreve uma festa de caboclos. Nesta cerimônia, uma árvore conhecida como "árvore da jurema" tem importância fundamental, já que é aos seus pés que o caboclo receberá as oferendas e será, por fim, incorporado pelo médium. A festa de caboclos é bastante alegre: a entidade costuma dançar e canta "sambas de caboclo", além de beber e comer com os fiéis. Em seguida, fala para os que a consultam, receitando remédios da flora medicinal para os males físicos, sentimentais ou espirituais. Logo que se incorpora, o caboclo se ornamenta com cocares de penas coloridas e, muitas vezes, se apresenta como membro de alguma tribo indígena que ainda existe em nossos dias. Sua linguagem é um português bem popular, carregado de sotaque interiorano, fazendo uso de palavras originalmente indígenas (tupi/guarani) ou africanas (quicongo/quimbundo).

Nos candomblés de tradição iorubá, Iroko é uma árvore de destacada importância, sendo considerada um orixá-árvore. Para honrá-lo, costuma-se amarrar um tecido branco em torno do seu tronco; outras plantas sagradas também são dignificadas dessa maneira, mudando apenas as cores do tecido que as envolve. De um modo geral, a importância das árvores no candomblé pode ser facilmente vista em um trecho de um mito segundo o qual cada vez que Oxalá criava uma pessoa criava também uma árvore.

A compreensão que alguns sacerdotes chegam a ter em relação aos desígnios e às lições da natureza é fruto de toda uma vida dedicada à religião dos orixás. Mas o principiante tem acesso a algumas alternativas para exercer o desejo de evolução espiritual, na trilha iorubá. Pois nem todos podem ou querem submeter-se às regras severas da iniciação no terreiro de candomblé, um longo processo, um sacerdócio, que exige do fiel uma dedicação exclusiva às divindades e um compromisso com os seus ideais para toda a vida. Uma dessas possibilidades de aproximação é a construção de um pequeno altar sobre o qual serão colocados objetos e elementos que sejam a representação simbólica da energia de que o orixá participa na natureza.

Para os orixás do ar, escolha o branco: toalha, pires e vela branca sobre uma mesinha. Use giz orgânico e conchas brancas, especialmente as espiraladas. Pedras brancas, ovos, tecidos brancos e joias com pedras brancas também são símbolos efetivos. Um pouco de luz azul para simbolizar o céu. Fotos e desenhos do sol, como manifestação de luz, podem ser colocados junto do altar, ao lado de mandalas representando a unificação da natureza.

Para orixás de água salgada, um pouco de água do mar e pedras que podem ser colhidas na praia são adequados. Se você mora longe da praia, ponha um pouquinho de sal na água comum. Para água doce, usam-se as cores amarela ou verde, pedras de rio ou lago. A meditação com espelho é também um exercício de autoconhecimento.

Para orixás do fogo, use velas vermelhas circundadas por pedras vulcânicas. O machado de dois gumes, símbolo de Xangô, também pode ser usado, decorado em vermelho e branco.

Entre os orixás da terra, o altar de Oxóssi é o mais simples, podendo ser feito com pedras "sujas" de um local preferido na natureza; coloca-se também sobre seu altar faca, arco e flecha.

Na África, os altares são focos de atração para forças específicas da natureza. Os orixás são atraídos para lá, após sucessivas repetições de preces, cantos e invocações. As orações devem ser executadas com disciplina, ao longo de todo o ano, e não apenas quando precisamos de ajuda. Dessa maneira, a presença do orixá no altar será bastante forte. As primeiras orações de um principiante devem ser bem simples: a pessoa se apresenta, dizendo quem é; depois pede que um certo orixá ouça sua prece, agradecendo pelas bênçãos que já tem recebido; só depois disso é que o pedido será feito.

Cada vez que um pedido é formulado, uma oferenda é feita. As oferendas constituem uma parte especialmente complexa e detalhada da religião. Todavia, o componente mais valioso de qualquer oferenda está à disposição de todos nós. Devemos sempre nos lembrar que a sinceridade do gesto é que é importante. Fazendo uma oferenda estamos usando o ritual para dizer que não queremos alguma coisa por nada. A verdadeira oferenda é um compromisso: viver a vida em harmonia com a natureza e apreciar as suas muitas bênçãos.

Os orixás e seus arquétipos

O ilustre psiquiatra Carl G. Jung (2000), embora não tenha incluído estudos específicos da mitologia africana em sua vasta obra, nos fornece os instrumentos adequados para uma abordagem contemporânea dos mitos iorubás. Aplicando alguns de seus conceitos, podemos compreender mais facilmente as maneiras pelas quais o significado essencial de cada orixá permeia a vida diária dos fiéis. De acordo com Jung, arquétipos são imagens psíquicas reveladoras de informações contidas no inconsciente coletivo, que, por sua vez, armazena experiências e conhecimentos que pertencem a toda a humanidade, desde passados imemoriais.

Mas um arquétipo não é um sinal definido, passível de entendimento imediato; é, antes, um símbolo que permanece progressivamente criador através dos tempos, porque estimula uma reação distinta na mente de cada um. Nesse sentido, o contato direto com a personalidade arquetípica de um orixá proporciona uma experiência pessoal e íntima da pessoa em relação aos assuntos e matérias que têm afinidade com o orixá.

Os orixás são personalidades arquetípicas que concentram em seus mitos grande quantidade de ensinamentos místicos sobre diversas áreas da existência. O candomblé, como prática religiosa, é um acesso direto a todo esse manancial de sabedoria ancestral. Podemos dizer que existem, basicamente, dois tipos de relacionamento com os orixás: o primeiro é mais passional, emotivo, e se consuma através dos rituais de iniciação e de possessão; o segundo é mais filosófico, ativo, e evolui gradativamente por meio das consultas oraculares, do estudo, das oferendas e orações.

Nos terreiros de candomblé, o iniciado costuma assumir a personalidade de seu "orixá de cabeça" e, em muitas ocasiões, chega a ser chamado pelo nome da divindade. A pesquisadora Monique Augras (1983), em sua pesquisa de psicologia religiosa, observa que esse procedimento é parte da manifestação do Duplo (orixá) na vida do filho de santo. Apesar do consenso que existe em relação à mútua dependência entre orixá e iniciado, os relatos colhidos por Augras trazem referências frequentes ao "dono da cabeça" como sendo um "Outro estranho e poderoso". Entretanto, a metamorfose que ocorre durante os rituais de possessão integra o Eu pessoal do iniciado com o Outro divino, e essa união do iniciado humano com seu Duplo transcendental e arquetípico é a expressão autêntica de uma identidade mítica única.

Através do jogo de búzios, da contemplação da natureza e de outras práticas oraculares, uma pessoa pode efetivamente comunicar-se com os orixás. Cada orixá responde, alerta ou resolve problemas que se situam na sua área específica de interesse e atuação. Essa área de atuação corresponde ao arquétipo representado pelo orixá. Do mesmo modo, os orixás possuem espaços que lhes correspondem dentro do terreiro e na natureza em geral. Contemplando uma determinada paisagem natural, sentando em frente à porta da "casa" de um orixá para pensar um pouco, ou mesmo escolhendo os legumes que colocaremos numa oferenda... Todas essas atitudes nos levam a refletir sobre os significados latentes no arquétipo de um orixá. A partir disso, ampliamos nosso conhecimento sobre uma parte especial de nós mesmos, da natureza e da vida.

Passaremos agora a uma descrição resumida da personalidade e dos atributos dos orixás mais conhecidos no Brasil. É claro que começarei por Exu, que é sempre o primeiro a ser honrado; como veremos, ele é extremamente vingativo e brincalhão, e eu não quero dar a ele motivos para que apronte alguma comigo no decorrer deste livro.

EXU
Senhor de Todas as Direções do Espaço e do Tempo

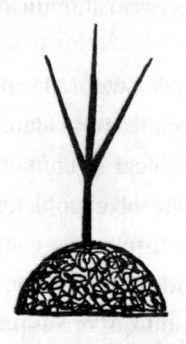

Exu é o mensageiro, responsável pela comunicação deste mundo (Ayê) com o mundo dos deuses (Orum). Nesse aspecto, Exu é análogo ao deus Mercúrio, da mitologia greco-romana. Ele é o senhor de todos os caminhos e de todas as direções. Por isso, as oferendas que lhe são dirigidas devem ser colocadas nas encruzilhadas.

O dinheiro e o sexo, que são componentes fundamentais da troca material entre as pessoas, também são assuntos de seu interesse, e esta face de Exu motivou o seu sincretismo com o Diabo, bastante explícito na umbanda.

Seu grande poder de atuação no mundo físico presta-se indiferentemente ao bem e ao mal, ensinando que a natureza possui uma força cega e bipolar, em eterno movimento. Esta força pode concretizar o desejo de maldade de alguém, mas não protegerá o malvado quando a vida lhe devolver o malefício praticado – e assim, Exu ensina a lei do retorno. É isso que as pessoas não entendem quando dizem que Exu é vingativo.

Por estar sempre lidando – sem qualquer compromisso – com as duas faces de todas as coisas, Exu adora provocar confusões e desentendimentos. Um de seus mitos conta que Exu pintou a metade direita do corpo de vermelho e a outra metade de preto. Aí apostou com dois amigos que aquele que soubesse dizer qual era a sua cor ganharia uma incrível recompensa. Os dois acharam muito fácil, mas cada um só estava vendo uma metade do corpo de Exu. E discordaram tanto que acabaram brigando. Exu riu muito e depois falou: "Vocês não saberão como eu sou se não derem a volta em torno de mim!"

Ele simboliza, também, o caos inicial que precede a criação, a organização das coisas do mundo ou da vida de uma pessoa. Para sobreviver a esta tendência de Exu, o único remédio seguro é desenvolver a intuição.

Ele é tão forte que, no candomblé do Brasil, raramente encontramos pessoas que tenham "raspado" para Exu. Suas cores são o preto e o vermelho, seu dia é a segunda-feira. O temperamento difícil de Exu cria inimizades com a maioria dos orixás. Mas alguns estudiosos afirmam que cada orixá é acompanhado por alguns "Exus especializados", que o auxiliam em seu trabalho.

OGUM
Senhor do Ferro e da Guerra

Ogum é o ferreiro. É a polaridade masculina do elemento terra. A agressividade e a violência são as características de que ele necessita para abrir espaço no mundo e conquistar os recursos que garantam sua sobrevivência. É o pioneiro, que usa sua faca para abrir a primeira picada na floresta, desvirginando-a.

As habilidades manuais, a técnica, a agricultura e a guerra estão sob seu domínio, pois com o mesmo ferro se fazem esculturas, máquinas, arados e armas de fogo. Atualmente, a indústria e os transportes podem ser incluídos neste campo, tanto que Ogum é considerado padroeiro dos motoristas de ônibus. De um modo geral, Ogum trabalha na frente, começando coisas novas a todo momento, expandindo os limites da humanidade.

Ogum representa a virilidade, aquela energia indomável, capaz de gerar forças para nos fazer superar os mais difíceis obstáculos. É o instinto de sobrevivência, a sede de independência e a autodeterminação. No Brasil, os escravos e seus descendentes enfatizaram sua afinidade com a guerra, pois as fugas para o interior da floresta, as revoltas e as insurreições contra os senhores brancos tinham mesmo que ser inspiradas por Ogum.

Seu dia é a terça-feira, sua cor principal é o azul e, algumas vezes, o verde. Em Cuba, ele é associado a São João Batista e a São Pedro; na Bahia, a Santo Antônio, e no Rio de Janeiro, a São Jorge.

OXÓSSI
Rei das Florestas Tropicais

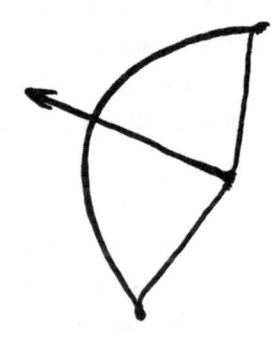

Oxóssi é caçador e protetor dos animais, já que não tolera aqueles que matam sem necessidade de alimento. Ele tem a habilidade de seguir rastros no meio da floresta, encontrar e abater a sua presa sem pestanejar. É por isso que os sacerdotes de Ifá recomendam que façamos orações para Oxóssi quando não sabemos determinar com clareza qual é o problema que nos aflige, ou que ponto específico de nossa consciência deve ser modificado.

Oxóssi vive no mato, junto com os animais e em grande harmonia com a natureza. Mas ao mesmo tempo é um representante do universo cultural, porque vai em busca da caça, para levá-la de volta a seu povoado, onde todos lhe darão o devido valor. Em muitos de seus mitos, Oxóssi é representado como herói. Era um homem comum que, por seus feitos inigualáveis, renasceu divinizado.

Enquanto Ogum representa um impulso obstinado, Oxóssi traz a consciência de uma tarefa definida a realizar. E realiza. Mas seu estilo de vida não lhe permite aperfeiçoar-se muito nos hábitos da convivência social.

Na verdade, parece que seu trabalho lhe interessa mais do que qualquer coisa, e ele chegou a abandonar a mãe Iemanjá para viver no mato com Ossâim. Seu dia é quinta-feira, e as cores mais usadas para ele são azul-claro e verde. Na Bahia e em Cuba, é associado a São Jorge; no Rio de Janeiro e em Porto Alegre, a São Sebastião.

IROKO
Um Orixá-Árvore

Iroko é o orixá-árvore. Mas, como a árvore africana Iroko não existe no Brasil, a gameleira-branca é sua morada em nosso país. Um de seus mitos conta que Iroko foi a única árvore que não morreu quando uma terrível seca assolou o planeta, por causa de uma briga entre o céu e a terra. É que, por ser uma árvore muito grande, Iroko está profundamente enraizado na Terra, mas, ao mesmo tempo, toca com seus ramos e folhas as alturas celestiais.

No candomblé de Cuba, acredita-se que Iroko é um caminho para Oxalá, e que seu tronco é o cajado de Olófi. Todos os orixás vão a Iroko, e se pode adorar cada um deles aos pés da gameleira. Se alguém deseja ter filhos, deve pedir a Iroko, repetindo o pedido todos os anos. Quando o bebê vier, a pessoa oferecerá um carneiro em agradecimento ao orixá. O esquecimento pode provocar a ira implacável de Iroko.

Nos terreiros, Iroko ocupa lugar de destaque. Ao redor de seu tronco, um pano branco é amarrado para dignificá-lo; entre suas grossas raízes, veem-se muitas oferendas. Nos candomblés de linha congo-angolana, chama-se Tempo ou Katende; nos candomblés jejes (daomeanos), seu nome é Loko. Em todo caso, ele representa o poder espiritual da árvore: ligação entre o céu e a terra, da qual depende a harmonia da vida. Por tudo isso, Iroko é respeitado tanto pelos homens quanto pelos orixás. Seu dia é terça-feira, e o branco é a sua cor.

OSSÂIM
Orixá das Folhas Selvagens

Ossâim é a folha, e tem que estar por todo o mundo. É curandeiro porque conhece os segredos da floresta, as plantas que matam e as que curam. Seus ensinamentos são envoltos em mistérios, e seu poder no candomblé é muito grande, pois o uso de folhas está presente em todos os procedimentos litúrgicos. Ele é a folha verde, responsável pela fotossíntese, que transforma energia solar em energia orgânica: o começo do ciclo vital no ecossistema terrestre.

Ossâim não faz nada de graça. Quem pede alguma coisa para ele deve primeiro deixar algumas moedas na entrada de uma floresta. Diz o mito que ele exigiu pagamento para curar a própria mãe. O sentido disso é muito semelhante a um dos fundamentos encontrados na ciência dos indígenas caiapós: "Para retirar alguma coisa da natureza, é preciso enriquecê-la mais ainda." Afinal, os recursos naturais são finitos, a capacidade de transformação é que não é.

O símbolo deste orixá é formado por sete lanças pontiagudas encimadas por um pássaro. É difícil imaginá-lo com uma forma humana, pois ele está intimamente ligado à própria alma da floresta.

O dia de Ossâim é, para alguns, segunda-feira, para outros, quinta-feira ou sábado; suas cores são o verde e o amarelo, ou verde, branco e marrom. Os candomblés de caboclo o associam com a Caapora ("a dona da folhas"), e em Cuba é sincretizado com São Silvestre e Santo Antônio Abade.

OMOLU – OBALUAIÊ
Orixá das Doenças e da Cura

Obaluaiê é o deus da varíola, das epidemias em geral. Causa doenças e também as cura, sendo considerado o médico dos pobres. É um deus muito severo, que exige respeito. Alguns de seus muitos nomes referem-se ao fato de que ele é o senhor de todos os espíritos da terra; e há outros nomes que não devem jamais ser proferidos, pois podem trazer desgraças a quem ouse fazê-lo.

Ele conhece os mistérios da morte e do renascimento. E vive todo coberto de palhas para ocultar as feridas com que a varíola marcou sua pele. Seus ensinamentos são tão perigosos que só podem ser transmitidos a pessoas especialmente iniciadas.

Obaluaiê é associado a São Lázaro e, na umbanda, chefia a Falange do Povo do Cemitério. O caráter punitivo das provações de Omolu o faz aproximar-se muito do pensamento católico sobre a necessidade da expiação de culpas.

Num sentido geral, podemos dizer que Obaluaiê representa os aspectos negativos da existência, os quais não podemos ignorar. Esse orixá nos estimula a tomar consciência das partes escuras, ultrapassadas ou indesejadas de nossa própria personalidade. Pois a verdadeira causa de todas as doenças está na retenção insalubre daquilo que deve morrer para que a vida continue renovada.

Seu dia da semana é segunda-feira, e suas cores, o branco e o preto, alternados. Em Cuba, usa-se também o branco com azul-real e roxo.

OXUMARÊ
A Serpente Arco-Íris

Oxumarê é a serpente arco-íris que vive girando ao redor do mundo. Durante seis meses é homem e nos outros seis meses é mulher, chamando-se Bessém. Como um orixá da terra, representa as riquezas escondidas no subsolo, mas também desempenha a função de levar a água de volta para o palácio de Xangô, no céu, a fim de garantir a perpetuação do ciclo das águas no planeta. No candomblé, diz-se também que Oxumarê é o dono do som, das artes e da beleza.

Sua principal característica é a dualidade, e talvez por isso ele seja um orixá tão exigente e inconstante. Sob a forma de serpente é perigoso, mas sob a forma de arco-íris é benfazejo e extremamente belo. Seu eterno movimento impede o mundo de se desfazer.

Para os sacerdotes do Ifá, Oxumarê é o mensageiro de Olodumaré. E, neste cargo, Oxumarê representa o pacto entre deuses e homens. Isso lembra a passagem bíblica em que, após o dilúvio, Deus fez um arco-íris aparecer no céu para expressar Sua promessa de que o mundo não seria destruído pelas águas uma segunda vez.

O arco-íris é o espectro visível da luz que manifesta os poderes de orum (céu), uma ponte entre o humano e o divino, um fenômeno visível, plástico, imagem de uma divindade misteriosa e difícil de ser definida.

O dia de Oxumarê é terça-feira; suas cores são o amarelo e preto ou amarelo e verde. Em Cuba, como no Brasil, é associado a São Bartolomeu.

NANÃ
Grande Mãe dos Pântanos

Nanã é a mãe dos mortos, a água parada das lagoas, e a chuva fina que faz lama tem a ver com ela. Ela é muito antiga, anterior à Idade do Ferro. Veio do Benim, atual Daomé; é mãe de Omolu, Oxumaré e, para alguns, também de Ossâim. Seus mitos contam que ela pariu esses orixás com formas monstruosas (um leproso, outro com o corpo de serpente e um aleijado), mas não os criou, jogando-os na lagoa para que se afogassem. Iemanjá se apiedou daquelas criaturinhas feiosas e pegou para cuidar.

Nanã é tida como divindade terrível, que não tolera desconsiderações e que jamais se esquece de faltas cometidas. Grave, severa, Nanã representa o poder controlador das mulheres idosas, a presença autoritária das avós no núcleo familiar, aquela que não hesita em distribuir castigos para educar os mais jovens na observância das regras sociais e dos preceitos religiosos.

Seu poder sobre os mortos é frequentemente apresentado como ameaça para o patriarcado. A consciência da necessidade da morte, bem como a aceitação da fatalidade inerente a este fenômeno natural, são os principais ensinamentos de Nanã.

Ela é honrada na segunda-feira ou no sábado, e o lilás é a sua cor principal. É associada a Sant'Ana no Brasil e a Nossa Senhora do Carmo ou Santa Teresa em Cuba.

XANGÔ
Orixá da Justiça

É um dos orixás mais cultuados no Brasil. Na natureza, ele é o trovão, o fogo do céu. Dizem as lendas que ele foi o quarto rei da cidade nigeriana de Oyó, que conseguiu controlar os raios por processos mágicos. Guerreiro forte, viril, orgulhoso e apaixonado, Xangô resolve as questões de justiça e não dá descanso aos que mentem ou cometem crimes. Seu senso de justiça e de dever comunitário supera até mesmo o apego à vida.

A essência de Xangô é incompatível com a morte, pois, como senhor do fogo, ele é a representação do impulso vital. Mas algumas histórias dizem que ele se suicidou, envergonhado, depois de provocar uma grande desgraça. Ele ordenou a dois de seus súditos, que eram irmãos, a realização de uma tarefa muito difícil. Por causa dessa ordem, os dois irmãos brigaram e acabaram matando um ao outro. Entretanto, Xangô não gosta que se lembre desse episódio, por isso os fiéis costumam dizer para saudá-lo: "O rei não se matou."

Xangô é conquistador; seu talento com as mulheres lhe rendeu vários casamentos, com Oxum, Obá e Iansã, sua companheira mais constante, com quem ele dividiu o poder sobre o fogo. Outro traço de seu caráter grandioso é a voluptuosidade de seu apetite para o sexo, a comida e a bebida.

Seu dia da semana é a quarta-feira; e suas cores são o vermelho e o branco. São Jerônimo é seu correspondente no Brasil, mas em Cuba, curiosamente, é associado a Santa Bárbara.

IANSÃ
Senhora dos Ventos e das Tempestades

Ela é a deusa dos ventos e das tempestades. O arquétipo de Iansã representa o aspecto ativo do universo feminino. Iansã guerreia de arma na mão e usa diversos truques mágicos para despistar os inimigos, transformando-se em animais ou outras coisas. Ela se parece um pouco com as amazonas, só que não passa muito tempo sem homem. Entre os muitos companheiros que teve, o mais constante foi Xangô.

Como mulher ativa, não pode estar sempre ao lado dos filhos. Algumas de suas lendas mostram que ela ensinou às suas crianças um sinal específico, que eles deveriam usar para chamá-la. Depois disso, seguiu seu caminho pelo mundo, fazendo coisas sempre novas e guerreando ao lado de seu esposo predileto. É a ela que devemos recorrer quando queremos efetivar uma mudança necessária na vida, na consciência ou na personalidade.

Iansã também tem poder sobre os Eguns (mortos), que têm o maior respeito por ela. Outras características de sua personalidade são a perspicácia e a fraternidade. Iansã tem um jeito de olhar as coisas feias de perto, sem medo ou preconceito, como uma mulher madura. Uma mulher que conhece as coisas difíceis da vida, que é forte e agressiva, mas que também sabe ser jovial e sedutora.

Um dos nomes de Iansã é Oiá. Seu dia é quarta-feira e sua cor principal é o vermelho. Em Cuba, é associada à Virgem da Candelária, à Virgem de Carmem e a Santa Teresa de Jesus; no Brasil, a Santa Bárbara.

OXUM
Rainha das Águas Doces

Oxum é a divindade das águas doces. Seu poder de sedução transparece na beleza física, na doçura da voz, na delicadeza de seus gestos. Tem a ver também com a menstruação e a gravidez, que está sob sua proteção. Ela representa o feminino passivo, que se deixa ficar quieto, enquanto a vida se faz em suas entranhas. No momento certo, após os nove meses em que o bebê se formou dentro dela, entrará (involuntariamente) em trabalho de parto, dando à luz um novo ser, vivo e cheio de saúde.

É muito vaidosa. Uma de suas lendas conta como ela venceu uma guerra sem lutar. É que ela demorou tanto se enfeitando que o inimigo foi derrotado antes mesmo que ela conseguisse sair da frente do espelho.

Ela é como as águas das cachoeiras, que podem gerar eletricidade, mas que produzem sua força ao se deixarem levar pela gravidade. É como as flores, belas e perfumadas para atrair pássaros e insetos, que são os verdadeiros agentes da polinização. Oxum é muito rica, mas não precisa suar seu rosto, porque seus admiradores enchem-na de presentes; pois os prazeres que essa deusa proporciona são tão preciosos quanto o milagre da vida, que se manifesta no mundo através das fêmeas de todas as espécies. E Oxum sabe muito bem disso.

As cores de Oxum são o amarelo e o dourado; seu dia da semana é sábado. É associada a Nossa Senhora das Candeias e a Nossa Senhora dos Prazeres, no Brasil; em Cuba, a Nossa Senhora da Caridade do Cobre.

IEMANJÁ
Rainha das Águas do Mar

Iemanjá é a mãe, que se desdobra em amores e compreensão na criação de seus filhos. Além daqueles que nascem dela própria, ela aparece nos mitos recolhendo também os filhos rejeitados por outras deusas. Na natureza, é representada pelas águas rasas do mar. A profundeza do oceano é a região de Olôkum, uma deusa pouco conhecida no Brasil.

No primeiro dia do ano, pessoas de todas as religiões costumam fazer oferendas para Iemanjá, pedindo que ela traga um ano novo melhor do que o ano que passou. Por causa de sua bondade e suas características de Grande Mãe, Iemanjá é sincretizada com Nossa Senhora, a Mãe de Deus. Na mitologia iorubá, ela se junta com Oxalá para gerar vários orixás.

Iemanjá é tão maternal que faz até vista grossa para não ver os defeitos de seus rebentos. Mas é também possessiva, e pode fazer chantagens emocionais para que suas "eternas crianças" jamais se afastem dela. Nesse sentido, é bem a imagem da mãe brasileira: complacente, superprotetora e apaixonada pelos filhos. Pode ser invocada para promover em nós uma verdadeira limpeza espiritual, levando embora os sofrimentos e as sequelas emocionais que nos impedem de continuar evoluindo.

Seu dia da semana é sábado, e suas cores são o branco e o azul. Aqui, é associada a Nossa Senhora da Imaculada Conceição; em Cuba, a Santa Virgem de Regla.

OXALÁ
O Criador dos Seres Humanos

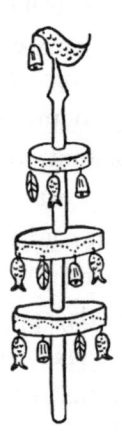

Ele é o pai. Criou todos os homens e gerou muitos orixás. Oxalá é o orixá da brancura e traz em si o princípio simbólico de todas as coisas, pois o branco é a mistura de todas as cores. Tem a ver com o ar e com as alturas celestiais.

Como arquétipo do Grande Pai, Oxalá é inabalável em sua autoridade e extremamente generoso em sua sabedoria. Na vida humana, Oxalá relaciona-se com o plano das ideias e com a sede do caráter das pessoas (a cabeça), proporcionando criatividade e orientando a conduta. Como é a suprema autoridade, Oxalá pode ser também muito teimoso, recusando-se a cumprir recomendações alheias por acreditar que deve sempre agir por sua própria cabeça.

Oxalá representa o princípio masculino e criador. Sua personalidade possui dois aspectos bem diferentes. Um deles é personificado pelo Oxalá jovem, guerreiro, o irrequieto Oxaguiã; o outro é Oxalá velho, mais avô do que pai, um senhor muito sábio e conselheiro, cujo nome é Oxalufã. Oxalufã é o último a aparecer nas festas do candomblé; caminha com dificuldade, apoiado no seu cetro mágico (o Opaxoró) e amparado com muito carinho pelos demais orixás.

Seu dia da semana é sexta-feira; neste dia, os adeptos do candomblé se vestem de branco para honrá-lo. Mas Oxalá usa também o azul-claro, que representa o céu durante o dia. Tanto em Cuba quanto no Brasil, Oxalá ou Obatalá é associado a Jesus Cristo.

Outros orixás e entidades

Ibejis

Os Ibejis são um casal de crianças gêmeas, um menino e uma menina, filhos de Oxum com Xangô, que foram criados por Iemanjá. É comum vê-los sincretizados com São Cosme e São Damião. Eles protegem as crianças, gostam de balas, doces e refrescos. Vivem para brincar e se divertir. Gozam de um carinho paternal por parte de todos os orixás. Algumas lendas cubanas contam que eles conseguiram infernizar até o próprio Diabo com a música frenética que tocam em seus tamborzinhos de madeira. Representam a renovação do espírito, o nascimento de uma nova vida interior.

Erês

Olga G. Cacciatore (1977) assim define Erê: "Vibração infantil pertencente à corrente vibratória de um orixá. Cada iaô tem seu Erê particular (correspondente ao orixá "dono da cabeça") que a acompanha na iniciação, auxiliando-a no aprendizado que deve fazer na camarinha, transmitindo oralmente as ordens e desejos do orixá (que não fala) [...]."

Os Erês desempenham a função de intermediários entre os homens e os orixás durante os rituais. Nesse sentido, a atuação dos Erês é análoga àquela realizada por Exu no oráculo de Ifá e na mitologia dos orixás, uma vez que ele normalmente não se incorpora nos candomblés.

Obá

É uma das esposas de Xangô. Uma mulher idosa, porém sedutora e apaixonada. Era tão dedicada ao marido que não poupava esforços para prendê-lo. Foi assim que caiu na armadilha de Oxum, que ensinou a ela a receita de uma sopa deliciosa que faria Xangô amá-la para sempre. Então, Obá cortou a própria orelha e colocou na comida, seguindo os conselhos da rival Oxum. Só que Xangô não gostou nada daquilo e resolveu deixar Obá, ficando só com Oxum. Obá ficou tão triste que suas lágrimas formaram um rio. Depois disso, ela se retirou do mundo, passando a habitar os cemitérios, onde guarda as sepulturas. E até hoje Obá e Oxum brigam muito quando descem juntas em um terreiro.

Na natureza, Obá é a água parada de lagos e lagoas.

Obá é o tipo da mulher dependente, que se esquece de si mesma para segurar o seu homem. Acredito que o maior ensinamento desse orixá é justamente enfatizar a necessidade do amor-próprio.

Ewá

É também uma divindade das águas. Certa vez, um filho de Ewá disse-me que ela era "uma Oxum guerreira, pouco conhecida no Brasil". Mas a pesquisadora Natália

Bolívar Aróstegui (1990) escreveu que, em Cuba, Ewá é considerada uma velha senhora virgem, que vive nos cemitérios, responsável por entregar os cadáveres para Oyá (Iansã). Sua lenda diz que ela foi uma princesa muito bela, a filha preferida de Odudua. Vivia recolhida em seu castelo até que Xangô, pretendendo vencer uma aposta, invadiu seu retiro para seduzi-la. Arrependida por ter-se apaixonado pelo invasor, ela então suplicou que a mandassem para um lugar onde nenhum homem jamais entraria. E o pai mandou-a viver no cemitério, onde ela envelheceu, sem jamais perder a virgindade.

Esse orixá, na versão apresentada por Aróstegui, mostra que a recusa total em se relacionar com os aspectos mundanos ou vulgares da vida acarreta uma certa morbidez. Ou, por outro lado, nos ensina que os prazeres carnais, quando encarados como uma meta em si mesmos, são coisas extremamente fúteis, indesejáveis pelas sensibilidades mais evoluídas.

Olôkum
Na África, era considerada uma divindade masculina, o Deus Oceano, enquanto Iemanjá era um divindade de água doce. No Brasil, Olôkum é feminina, e acredita-se que é a mãe de Iemanjá. Como sua filha passou a ser associada ao mar, Olôkum se encontra associada apenas às águas profundas, onde não há luz solar. Essas profundezas abissais são as regiões onde a água e o fogo

da Terra se encontram, pois há constante escapamento de lavas. É o habitat de estranhas larvas que possuem um sistema de geração de energia completamente diferente de todos os outros seres vivos do planeta, pois não respiram nem fazem fotossíntese.

As lendas cubanas apontam vários motivos que teriam levado Olôkum a ocultar-se no fundo do oceano. Olôkum existe desde o princípio do mundo, e travou árduas disputas com Olorum pelo domínio da Terra. Todas as histórias, entretanto, falam desse orixá como uma entidade de aparência indefinida: anfíbio, hermafrodita, metade gente metade peixe, sereia, ou, ainda, uma grande serpente submarina. Diz-se que, sozinha, gerou Iemanjá, e que as baleias trabalham para ela. Sua personalidade é misteriosa, ameaçadora; e alguns afirmam que Oxalá a mantém amarrada no fundo do mar para que não destrua o mundo.

Olôkum nos remete às profundezas insondáveis do inconsciente coletivo, onde, provavelmente, a memória pré-histórica da humanidade esconde as lembranças do tempo em que ainda nem éramos *Homo erectus* e, muito menos, *sapiens*.

Oko

Oko é a terra, orixá masculino, esposo de Olôkum, pouco conhecido no Brasil. Oko é muito sério e casto. Diz-se que é o juiz de todas as disputas, sobretudo entre as mulheres. Oko sempre chega a uma decisão acertada. Ele conhece e protege todos os segredos, que guarda a sete chaves na escuridão interior da terra. É o patrono da agricultura e da fecundidade, e por isso as mulheres estéreis podem recorrer a ele para conceber uma criança. Quando uma pessoa morre, Iansã entrega o cadáver a Oko para que este o devore, transformando os vestígios da morte em alimento para a renovação da vida.

Egun e Egungun
De acordo com a tradição nagô, os ancestrais voltam à Terra em determinados rituais. As almas dos antepassados são chamadas Egun ou Egungun. Na África, existem sociedades secretas, compostas exclusivamente por homens, que cultuam os Egungun. No Brasil, esta sociedade existe apenas na ilha de Itaparica, organizada em comunidades denominadas "terreiros de Egun".

Durante as cerimônias, os espíritos dos mortos aparecem sob tiras de panos que cobrem suas formas corporais, vagamente delineadas. Não podem ser tocados. Ninguém pode saber o que existe embaixo dos panos. O segredo é fundamental no culto dos Egungun. Joana Elbein dos Santos e Deoscoredes M. dos Santos (1981) explicam o fato de o culto ser exclusivamente de espíritos masculinos:

> [...] Antigamente, na região iorubá uma das funções dos grupos de Egungun era denominada "caça às Ajé". As Ajé, também conhecidas pelos nomes de *Iya-mi* (literalmente, nossas mães) ou *Iya-agba* (literalmente, as mães velhas e veneradas), são geralmente mulheres idosas, capazes de possuir poderes extraordinários. Ao mesmo tempo em que as Ajé representam a imagem coletiva da maternidade, fertilidade, fecundidade e quintessência da vida, representam também a imagem persecutória, dominadora e agressiva desse mesmo poder feminino. Os fortes resquícios matriarcais da sociedade iorubá são equilibrados pela atividade masculina dos Egungun. Em um passado distante, a sociedade dos Egungun tinha também o propósito de descobrir, punir ou banir as velhas que usassem seu poder de maneira destrutiva.

Iansã é o único orixá que aparece neste culto, pois é ela quem controla o mundo dos mortos. E, segundo as lendas iorubás, ela fundou o culto; este, mais tarde, seria tomado pelos homens, que entretanto continuaram a adorá-la.

PARTE 3

O ORÁCULO DE IFÁ

A tradição do Ifá

Na Nigéria, a uma hora da capital, Lagos, na cidade de Odé-Remo (no estado de Ogum), repousa um dos mais importantes centros de culto a Ifá. A divisão do estado Iorubá em 16 províncias, correspondentes aos 16 Odus da consulta ao Ifá, permanece até os dias de hoje, apesar de a grande maioria dos habitantes ter se convertido ao cristianismo ou ao islamismo. Os antigos babalaôs do Ifá são considerados pertencentes à estirpe dos sacerdotes guerreiros. Existem muitas lendas a respeito de suas participações nas lutas de resistência contra as constantes invasões e contra o colonialismo britânico, entre o final do século XIX e 1960. Na Nigéria de hoje, a crença no Ifá é uma religião em si mesma, mas é vista de modo preconceituoso por grande parte da população, sendo associada a crenças "primitivas" do passado.

Awo Fá'lokun Fatunmbi (1991) conta o seu processo de iniciação ao culto do Ifá na África. Quando ele foi para a Nigéria, já havia cumprido o primeiro estágio da iniciação com um sacerdote de Ifá residente nos Estados Unidos. Após muita dificuldade, conseguiu chegar à cidade de Odé-Remo, seu destino. Ele sabia que precisava ter uma autorização de um dos descendentes da família real do estado de Ogum, para que as portas do Ifá lhe fossem abertas. A pulseira que usava permitiu que ele chegasse ao seu mestre, pois o chefe da agência de correios (autoridade local a quem ele deveria se dirigir) hesitou em indicar-lhe o caminho certo para a casa do Obá (sacerdote superior) de Ifá, só o fazendo após reconhecer o bracelete verde-amarelo que ele trazia no pulso esquerdo, dizendo: "Este é o seu sinal." O bracelete lhe fora dado pelo sacerdote americano, que predisse, durante uma consulta, que ele seria também um sacerdote de Ifá. Muitas pessoas vão à África procurando se iniciar, mas a maioria volta de lá sem concretizar seus objetivos.

Awo Fá'lokun Fatunmbi (1991) assim descreve a consulta com a sacerdote do Ifá para confirmar a sua iniciação:

> Quando o Oluwo (o sacerdote) voltou ao quarto, estava molhado por ter tomado um banho [também no candomblé, quando se toma o banho com as folhas

sagradas – obô –, não se enxuga o corpo, colocando em seguida uma roupa branca e limpa]. Suas roupas de fazendeiro foram trocadas por uma toga branca amarrada em torno de um ombro. Usando um tradutor, eu disse ao Oluwo que eu tinha vindo à África na esperança de receber a minha iniciação ao Ifá. Inclinando sua cabeça afirmativamente em aprovação, ele pegou uma esteira de bambu e a desenrolou ao longo do chão. Sentou-se na esteira e alcançou, embaixo da cama onde ele repousava, uma velha pasta de couro. Cuidadosamente, retirou suas ferramentas de adivinhação da pasta.

Havia um pequeno tabuleiro chamado *opon Ifá*, uma sacola com os caroços da palma sagrada chamados *ikin*, uma sacola com um pó amarelo chamado *ierosun* e um transmissor chamado *iroke Ifá*. Esses instrumentos cerimoniais são o fundamento de todos os rituais da tradicional religião iorubana. O *opon Ifá* representa o útero da criação, o *irô Ifá* é a virilidade da manifestação, os *ikin* são os frutos da árvore da sabedoria e o *ierosun* é a medicina da transformação. Esses receptáculos do poder espiritual são usados em conjunção com ervas (*Ossâim*) e com orações (*Ofo Asse*) para invocar as forças espirituais que são usadas para limpar, curar, na iniciação e adivinhação. (FATUNMBI, 1991, tradução livre)

A tradição oral do Ifá é baseada nos ensinamentos do profeta Orumilá. Ele é descrito no folclore do Ifá como o homem iorubá que veio para a cidade sagrada de Ile Ifé ensinar o sistema de ética, crença religiosa e visão mística. No fim de sua vida, Orumilá ensinou um método de adivinhação conhecido como *Dafa*. A história oral indica que Orumilá viajou através da África dividindo sua sabedoria com outras culturas. Há clara evidência de que as escrituras do Ifá tenham enorme influência na fundação da nação iorubá. Podemos perceber elementos do Ifá no Daomé, no Togo e em Benim.

É difícil precisar a data da presença de Orumilá na África Ocidental. Existe a crença de que o profeta Orumilá viajou até a Palestina, onde passou a ser conhecido como Melquisedeque. Historiadores atestam que Melquisedeque era o profeta de uma seita de ascetas conhecidos como essênios. Há evidência, nos pergaminhos do Mar Morto, de que Jesus estudou com os rabinos essênios que viviam fora de Jerusalém. Orumilá teria empreendido suas viagens entre os anos 2500 e 2100 Antes da Era Comum (A.E.C.). Há pesquisas que apontam uma similaridade entre o oráculo de Ifá e o oráculo dos essênios, já que ambos se baseiam nas mesmas 256 marcas usadas para catalogar as forças da natureza. Alguns historiadores levantaram a hipótese de associações entre a tradição do Ifá e a tradição do Olho Místico, que era o centro do processo de adivinhação do antigo Egito. Os mais velhos do Ifá acreditam que eles estão praticando a religião original dos homens na Terra. Se é verdade que a vida humana se originou na África, é bem possível que esta certeza tenha suas raízes num fato histórico.

No Brasil, a tradição do culto ao Ifá não foi preservada na sua forma original. O babalaô, como sacerdote supremo, cedeu lugar ao chefe do terreiro de candomblé. Enquanto, originalmente, apenas homens poderiam consultar o Ifá, no candomblé de Salvador, e consequentemente no do resto do país, os pais e as mães de santo acumularam a função de babalaô. Em vez dos cocos de dendê, os cauris (búzios) passam a ser jogados. Em vez de consulta ao Ifá, a prática da adivinhação e do diálogo com os orixás passa a ser conhecida como jogo de búzios. Só recentemente constatamos a presença de importantes sacerdotes do Ifá vindos principalmente da Nigéria e de Cuba a iniciar novos sacerdotes em diversas cidades brasileiras.

Do Ifá ao jogo de búzios

Na África, uma vez iniciado, espera-se do novo sacerdote que atinja o estado do Ser, que é chamado *ìwa-pèlé*. A tradução comum de *ìwa-pèlé* seria "suavidade", embora não expresse as profundas implicações esotéricas da palavra, tal como é entendida dentro da comunidade religiosa do Ifá.

Ìwa-pèlé é a contração das palavras *ìwa* e *opèlé*. *Ìwa* gnifica "caráter". Para a comunidade iorubá, a contribuição pessoal é medida em grande parte pelas qualidades de bom caráter que o indivíduo exibe em seu dia a dia. A palavra *opèlé* significa, ao mesmo tempo, a mulher de Orumilá e um dos instrumentos usados na adivinhação. O sacerdote de Ifá, que expressa as qualidades de *ìwa-pèlé*, é aquele que está mantendo um equilíbrio entre elementos masculinos e femininos do seu próprio caráter. Isso significa que este equilíbrio acontece de acordo com os princípios contidos nas escrituras do Ifá. O iniciado de Ifá, que luta para se orientar pelo verdadeiro sentido de *iwa-pèlé*, pode ganhar o direito de ser chamado babalaô. A palavra babalaô significa "pai dos segredos". *Baba* é a palavra iorubá para "pai", e *awo* é a palavra para "segredos", que são revelados através do estudo da adivinhação.

A prática com o *opelé-ifá* não chegou a ser popular na Bahia. Na realidade, existiram poucos babalaôs em Salvador que foram iniciados no culto de Ifá na África. E destes, apenas alguns ocuparam postos nos terreiros dos candomblés baianos. Não é possível precisar quando os pais e as mães de santo passaram a dar consultas, usando parte da estrutura original do Ifá, trocando os 16 cocos de dendê por 16 cauris (búzios) cortados, e assumindo eles próprios os nomes e as funções do babalaô. Júlio Braga, em seu livro *O jogo de búzios*, atribui essas mudanças ao fato de a prática divinatória original ser ligada intrinsecamente à sociedade e à cultura africana:

> Os portadores desse conhecimento que aqui aportaram na condição de escravos não encontraram no Brasil condições favoráveis ao pleno exercício de suas funções. A atividade do babalaô exige uma prática constante do saber divinatório para uma revitalização permanente dos conhecimentos aí envolvidos, o que é possível apenas dentro da dinâmica sociocultural

> da sociedade onde são originados. Sabemos que a cultura africana, importada com o advento da escravidão, foi redefinida no Brasil ao entrar em contato com outras culturas, também comprometidas com o processo civilizatório brasileiro. (BRAGA, 1988, p. 33)

Braga conclui que as mudanças ocorreram porque o *opelé-ifá* exige a recorrência permanente à memória coletiva, onde está armazenada a mitologia pertinente aos odus (caminhos), e esse acesso seria impraticável no Brasil, uma vez que o contexto cultural era outro. Teria havido então um processo de reinterpretação dos mitos e das histórias, adaptando-os ao novo ambiente brasileiro. Assim, foi criado um modelo que prescinde de um longo processo iniciatório, e é de mais fácil operacionalização.

Dafa: consultando o oráculo

A iniciação dos sacerdotes do Ifá é extremamente complexa. A tradição é periodicamente reciclada por meio de encontros promovidos pelos conselhos de anciãos na África, para os babalaôs recontarem os mitos do Ifá.

A consulta ao Ifá chama-se *dafa*. É feita utilizando 16 ikins (coco de dendê). O babalaô pega todos os ikins de uma só vez, chacoalha-os em suas mãos, da esquerda para a direita, enquanto canta as preces. Quando os ikins estão em sua mão esquerda, ele pega tantos quantos puder com a mão direita. Se permanecerem dois ikins em sua mão esquerda, ele desenha uma única marca vertical (|) no chão, com o dedo indicador. Se apenas um ikin permanece em sua mão, ele então faz duas marcas verticais (| |) no chão. Quando restam mais de dois ikins, ou quando não fica nenhum na sua mão esquerda, ele não faz marca alguma e começa de novo essa jogada. Conforme as jogadas se sucedem, ele vai desenhando as marcas, uma embaixo da outra; e o babalaô repete esse processo até conseguir anotar quatro vezes. Exemplo:

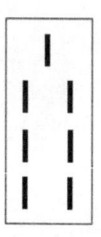

```
   |
 | |
 | |
 | |
```

Esta coluna, chamada de "perna" do odu, é reproduzida pelo adivinho, que forma, assim, duas "pernas" idênticas: as pernas gêmeas (mejí) do odu:

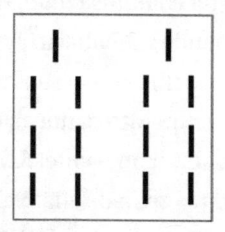

```
   |      |
 | |    | |
 | |    | |
 | |    | |
```

A linha única representa a linha de expansão no universo, e a linha dupla representa a força de contração. Awo Fá'lokum Fatunmbi (1991) nos fala, de modo interessante, sobre essa relação:

> Em termos metafísicos, expansão se manifesta como luz, e a contração se manifesta como trevas. Dentro da cosmogonia do Ifá, luz e trevas criam todas as coisas. É uma expressão da ideia de que a luz contrai para tornar-se matéria e a matéria se dissolve em luz. No Taoísmo, esta polaridade é simbolizada por um círculo preenchido com uma lágrima caída negra e uma branca, chamadas Yin e Yang. Nem o Taoísmo nem o Ifá consideram luz o Bem e treva o Mal; expansão e contração são simplesmente duas manifestações de uma única forma da substância espiritual que emana da Fonte. (FATUNMBI, 1991, tradução livre)

Portanto, *dafa* é uma representação gráfica dos caminhos nos quais escuridão e luz se interagem na formação do universo. A literatura de adivinhação do Ifá se divide também em 16 partes (16 odus). Cada odu carrega o nome de um príncipe. Ouvir os versos é como vir à presença de uma voz real, que compartilha descobertas e experiências com o consulente. A queda dos ikins, ou mesmo dos búzios, determina qual odu está predominando naquele momento. No jogo de búzios no Brasil, perdeu-se em parte essa tradição, embora os nomes dos odus tenham permanecido quase os mesmos. Citamos aqui o mapa com as marcas e os respectivos odus, conforme foram recolhidos por Pierre Verger e por Roger Bastide (1961, p. 147).

1. Ogbe Meji (Ejiogbe)	2. Oyeku Meji	3. Iwori Meji	4. Odi Meji
5. Irosun Meji	6. Owonrin Meji	7. Obara Meji	8. Okanran Meji
9. Ogunda Meji	10. Osa Meji	11. Ika Meji	12. Oturupon Meji
13. Otura Meji	14. Irete Meji	15. Ose Meji	16. Ofun Meji

A dualidade luz e trevas, ou princípio masculino e feminino, é delineada nos cauris do jogo de búzios na forma de "fechado" e "aberto". Os búzios (cauris) são preparados especialmente cortando-se a parte de trás. O lado onde existe a fenda natural é considerado fechado, e o outro, cuja superfície foi quebrada, onde foi aberto um buraco, é considerado o lado aberto. Eles permanecem em número de 16.

O *opelé-ifá* é outra prática oracular usada na África e em Cuba, também chamada de "colar" ou "rosário do Ifá". Caroços de manga, com os seus lados bem diferenciados por cores, são colocados numa corrente e presos um a um numa fileira, em número de 8 ou 16. Em vez de a jogada ser repetida quatro vezes – até se completar o desenho do odu (como no uso dos ikins) –, com o rosário, o babalaô verifica qual o odu que respondeu sua pergunta, após uma única queda do rosário.

Esse tipo de consulta, ainda pouco conhecido no Brasil, é bastante utilizado em Cuba. Aqui, entre o povo de santo, a consulta ao Ifá ganha maior visibilidade através do jogo de búzios. A relativa simplicidade do processo de iniciação ao jogo de búzios (quando comparado à iniciação ao Ifá) e a inexistência de uma comunidade autorreguladora entre os adivinhos brasileiros produzem uma enorme variedade de leituras das quedas dos búzios e na interpretação dos odus.

No jogo de búzios, em uma das quedas, o balalaô pergunta qual o orixá que está respondendo pela jogada. Há, entre os candomblés de diferentes estados brasileiros, discrepância quanto à caída que corresponde a cada um deles. Optamos aqui pelo esquema fornecido por Júlio Braga (1988, p. 119) em seu livro *O jogo de búzios*.

Geralmente, após a consulta, o babalaô prescreve um ebó (trabalho) que deverá ser feito para fortalecer o odu da pessoa, ou para agradar a este ou àquele orixá, em retribuição a graças alcançadas. Tradicionalmente, o babalaô não pergunta nada sobre a vida do consulente e, ao final da consulta, verifica se o consulente quer saber algo mais ou se tem alguma questão que ainda não foi suficientemente respondida. A maneira como cada babalaô joga, a forma como dispõe a sua mesa e as suas ferramentas de consulta são as mais diversas. Alguns usam velas, outros até bola de cristal. Não existe um consenso. Se o consulente não pertence ao terreiro, é normal que pague a consulta em dinheiro, que será revertido para o dia a dia daquela comunidade.

PARTE 4

O RITUAL: OS DEUSES COMEM,

BEBEM E DANÇAM

O transe e a iniciação

Quando alguém vai a uma cerimônia no candomblé e fica tonto ou perde os sentidos, dizem que a pessoa "bolou". Outros asseguram que é o chamado do orixá. No entanto, o transe dos orixás não ocorre repentinamente em qualquer lugar. Ele decorre do processo de iniciação, é a meta da filha ou do filho de santo, o contato máximo com a divindade. E é muito raro que este encontro se dê antes de uma preparação detalhada. O fenômeno de possessão pelo orixá se consuma paulatinamente, através de um longo processo de aprendizado no terreiro, participando de rituais e observando os preceitos e ensinamentos transmitidos pelos sacerdotes.

O transe no candomblé nada tem a ver com incorporação de espíritos de pessoas que já morreram e têm urgência de comunicar-se com o mundo dos vivos, como ocorre no espiritismo e na umbanda.

A iniciação inclui um período de reclusão em que as *yawo*/iaôs (filhas de santo) e os *omorissa*/omorixás (filhos de santo) recebem uma série de rigorosos treinamentos visando fazer com que alcancem a pureza de que o orixá necessita para vir à Terra. Os novos membros do terreiro devem aprender também os passos da dança dos deuses e seus mitos principais. Gisèle Cossard (2006, p. 170) destaca a parte festiva e performática das celebrações públicas do candomblé. "Cada cerimônia é uma representação religiosa da qual participam atores e espectadores." Por ocasião do retorno do orixá à Terra, os trajes rituais, as insígnias levada pelas iniciadas em transe, os ritmos, os cantos e a coreografia perpetuam lendas que formam uma herança preciosa e que a iaô transmite de geração em geração. É o patrimônio da comunidade.

Aos poucos, a iaô vai permitindo que através dela o santo vá desenvolvendo, ou seja, a personalidade do seu "orixá de cabeça" vai se tornando mais articulada, que corresponde ao seu arquétipo, mas adquire nuances de acordo com cada indivíduo. Pouco a pouco, o orixá adquire o hábito de falar e, com o tempo e a experiência, desenvolvem-se os signos de um saber pessoal: dupla visão, profecia, língua secreta, conhecimentos de plantas, remédios etc., acrescenta Gisèle Cossard (2006).

A vida da iaô passa a ser regida pela filosofia que orienta o seu orixá, e a convivência com ele passa a ser vista como uma segunda personalidade, como o seu Duplo. Mas nesse contato íntimo entre o iniciado e a divindade a pessoa recebe também, através das emanações energéticas do orixá, revelações de sua própria energia inconsciente, que desabrocha sobre a sua vida de forma ordenada e rejuvenescedora.

A iaô geralmente recebe dois orixás. Um, o chamado "orixá de cabeça", e o outro, secundário, que a acompanha e compõe aspectos de sua personalidade individual. Quem lê qual orixá está manifestado é o sacerdote. Esta leitura pode ser feita pela consulta ao Ifá ou observando-se a forma como o transe ocorre, durante os cânticos específicos para este ou aquele orixá. Monique Augras chama atenção para outro aspecto na leitura do orixá manifestado:

> Todos esses deuses, de origem, de herança, de destino, congregam-se no indivíduo, desenhando determinada configuração, tão complexa e tão dinâmica, que é chamada *enredo*. O enredo de uma peça é a intriga que anima os personagens, os rumos da ação. O indivíduo está situado no centro de um drama divino, em que o dono da cabeça se exprime em primeiro lugar, por ter sido "fixado" pelos ritos da iniciação. Mas o processo iniciatório tem a função de "assentar" igualmente os demais deuses do *enredo* em seus respectivos lugares, de maneira que as relações entre

> todas essas divindades sejam divididas de modo mais harmonioso. Fala-se muitas vezes do orixá segundo (*ori ekeji*, "a segunda cabeça"), do terceiro, que podem ter influência poderosa. A responsabilidade da suma sacerdotisa, ou do sumo sacerdote, afirma-se nesse trabalho, que consiste em colocar cada um dos deuses do *enredo* no lugar que lhe cabe. (AUGRAS, 1983, p. 213)

O primeiro ritual de iniciação é o *bori*, ou "oferenda para a cabeça". O bori é composto por uma sequência de rituais que começa com cerimônias para a purificação do corpo por meio de banhos preparados com ervas especiais. O noviço permanece na camarinha, sobre esteira forrada com um lençol branco, sem se comunicar com ninguém além da ialorixá. No dia que precede o rito principal, ele permanecerá em jejum. Então, ocorrerá o ritual em que são sacrificados um (ou dois) pombos e uma (ou duas) galinhas-d'angola, que, mais tarde, serão servidos na ceia para a cabeça (*ori*) do iniciado. Esta ceia é posteriormente oferecida a todos os membros da comunidade, junto com acarajés e acaçás. Na manhã seguinte, "lavam-se as contas" dos "orixás de cabeça" do iniciado, mais as contas dos orixás da casa, para confeccionar colares.

O principal rito de iniciação é a *raspagem e pintura da cabeça*, bem mais complexo que o bori, com um período de recolhimento que dura vários dias e um processo de aprendizado muito mais longo e detalhado. O conhecimento dos procedimentos que envolvem esse ritual é reservado aos iniciados. Na maioria das vezes, os rituais de "raspar" ou "fazer a cabeça" são coletivos. O processo culmina em uma grande festa, denominada "saída de iaô" ou "saída do barco": o barco (ou barca) é o conjunto de iniciados que são formados ao mesmo tempo.

Podemos ver no *xirê*, uma cerimônia pública do candomblé cujos elementos orgânicos evoluem pelo espaço do barracão, diversas tramas superpostas. Pedreiros, donas de casa, ajudantes de obra, empregadas domésticas desenvolvem enredos cujos personagens brotam do chão, animados pelos cânticos, pelo rufar dos atabaques e, sobretudo, pela energia que vem da terra, embora se diga que "o santo baixa". Do pé descalço de quem dança surge o desenho do resto do corpo; os pés sempre pisam firmes, como se estivessem plantados; estão conectados com a pulsação da terra, ao mesmo tempo que evoluem sintonizados com a música e o ritmo das invocações.

Uma vez possuído pelo orixá, o indivíduo é levado à "camarinha", um quarto contíguo ao barracão, para ser paramentado com a vestimenta peculiar de cada orixá. E, quando chega a vez da música do seu orixá, ele vem empunhando o seu adereço próprio, evoluindo pelo centro do terreiro e dançando. Desaparece a *persona* dos filhos de santo que, vestidos como reis e rainhas, desenvolvem sua *performance*. Não obstante a isso, a individualidade permanece. A consciência pessoal não é eliminada pelo transe, e sim levada a conviver com a função sagrada de atuar em um espetáculo divino. Neste teatro, em vez de o ator empunhar uma máscara, ele se despe do seu papel social para revelar o que há de mais sagrado dentro de si.

Ebós: a comida dos orixás

Ebó é um termo oriundo do idioma iorubá (*ebo*) cujo sentido genérico é "sacrifício ou oferenda a um orixá". Alguns terreiros de candomblé usam a palavra apenas para denominar sacrifícios de animais, enquanto outros empregam-na com uma significação mais abrangente, incluindo as oferendas de legumes, frutas, flores e objetos diversos. Já na umbanda, é comum encontrarmos a palavra ebó exclusivamente para denominar as oferendas para os Exus, que são colocadas nas encruzilhadas e vulgarmente chamadas de "despachos".

Os ebós têm grande importância na religião dos orixás. "Arriar um ebó" é uma ação ritualística, um processo detalhado de aproximação, de troca com o orixá. Antes de mais nada, devemos consultar os búzios para, através de uma ialorixá (ou babalorixá), termos um primeiro contato com os deuses. No jogo de búzios, os orixás falam sobre a vida física, mental e/ou espiritual do consulente, e costumam apontar quais oferendas são indicadas para promover o equilíbrio de alguma área da vida da pessoa. Se a pessoa quer a ajuda de um determinado orixá para atingir um objetivo específico, a resposta positiva da divindade costuma vir na forma de um pedido de ebó; o consulente é informado também sobre o lugar e/ou a época em que a oferenda deve ser feita.

Depois disso, vem a etapa de escolha e aquisição dos alimentos e presentes de que se compõe o ebó. Em seguida, os pratos de comida mais complexos (se houver) têm que ser preparados por alguém qualificado para esta tarefa, dentro da religião. Aí a pessoa irá até um lugar determinado, que pode ser ao ar livre ou dentro da "casa do orixá", e finalmente "arria o ebó". É fundamental que, nesse momento, a pessoa se concentre no objetivo que a levou a oferecer o ebó, expressando ao orixá o seu desejo, a sua necessidade ou a sua gratidão.

Todo o trabalho que se tem escolhendo e reunindo pequenas coisas, preparando alimentos, entrando numa floresta para depositar flores às margens de uma cachoeira é valorizado pelo candomblé. "Arriar um ebó" é perpetuar a troca do axé (força sagrada) entre os dois mundos, o sagrado (*orum*) e o profano (*ayê*). Isso porque, na religião dos orixás, considera-se que tudo que existe possui sua parcela de axé. As pessoas, os animais, os vegetais, os minerais e objetos têm afinidade com este ou aquele orixá. Os seres e as coisas que existem no mundo material participam da energia dos orixás, e a energia deve estar sempre se movimentando entre o mundo visível/material/profano e o invisível/astral/sagrado, nos dois sentidos. Assim como o ciclo das águas, fluindo sempre de um estado para outro, garante a vida na Terra através de sucessivas chuvas, evaporações, resfriamentos e degelos, também no candomblé a dinâmica das transferências de axé é parte essencial da vida.

Ao lado do fenômeno da possessão, os ebós são o ponto de ataque preferido dos opositores do candomblé, desde os tempos do Brasil colonial. O preconceito difundido pela cultura oficial contribuiu para uma visão deturpada dos rituais e preceitos do candomblé. Hoje, com a ascensão das preocupações ecológicas no dia a dia dos meios de comunicação de massa, os adeptos do candomblé têm sido injustamente acusados de predação ambiental. Entretanto, na realidade, os animais sacrificados nos terreiros servem também de alimento para a comunidade, e os vasilhames, as garrafas e louças são lavados e reutilizados. Provavelmente, conforme a religião dos orixás se torne mais conhecida e respeitada, os ebós deixados ao ar livre possam também ser "reciclados" pelos fiéis. Quando isso acontecer, todos saberão por que a devastação das florestas, a poluição de rios e mares ameaçam a sobrevivência do candomblé; então, os ecologistas e educadores ambientais acordarão para o fato de que aquela religião "primitiva", que chegou a ser proibida, continua viva, adorando as forças da natureza.

Morando nas cidades, as pessoas se esquecem de que o bife acebolado sobre a mesa já foi um inocente boizinho que, um dia, foi morto por um ser humano para alimentar vários outros indivíduos da mesma espécie. O mesmo aconteceu com a coxa de frango e o filé de peixe; até as verduras, que chegam ainda verdes ao estômago, tiveram que ser cortadas ou arrancadas à força de sua "terra natal". Mas no candomblé, que cultua os antepassados e as forças da natureza, o sacrifício de animais é sagrado, e a morte é compreendida como uma verdadeira transformação, parte inseparável da própria vida, pois, como já disse Confúcio, "o vivo vive do vivente, sobretudo vegetal".

Espaços sagrados do candomblé

O espaço interno das comunidades de candomblé tem uma conformação específica, embora muitas vezes variada, na disposição dos "quartinhos" dos orixás. Geralmente, logo à entrada e à saída, está o quartinho ou "casa de Exu". Permanece fechado, sendo aberto apenas por ocasião dos rituais ou para receber oferendas. É comum existir na porta da casa de Exu alguma estátua ou símbolo de sua presença.

A partir da entrada do terreiro, veem-se os quartos dos outros orixás. Eles podem estar dispostos em círculo ou em filas, lado a lado. Dentro de cada quartinho estão os pejis, os altares dos orixás onde estão os otás, pedras sagradas onde estes têm "assentados" os seus respectivos axés. O otá de cada orixá fica dentro de vasilha especial, de louça ou de barro, mergulhado em azeite, mel ou dendê, junto com outros elementos. É nos quartinhos que são depositadas as oferendas votivas. No passado, na época em que o candomblé era perseguido pela polícia, era costume colocar dentro dos quartinhos uma grande mesa repleta de santos católicos. Na parte de baixo, disfarçados, escondidos por uma grande toalha branca, ficavam os otás, quartinhas, vasilhas etc.

No pátio interno dos terreiros é muito comum a existência de árvores e plantas sagradas ligadas ao axé dos orixás: a paineira de Oxóssi, o dendezeiro de Exu e Ifá, o orixá Iroko... Para os rituais de caboclos, a presença de outra árvore sagrada, a jurema, é imprescindível. Veem-se também fontes naturais, lagos artificiais ou poços. A presença da água é muito importante. A maior parte construída geralmente é o barracão, uma ampla área coberta, teto alto com boa ventilação, algumas vezes sem paredes laterais, local onde acontece a maioria dos rituais e cerimônias públicas. Contígua ao barracão, situa-se a "camarinha" – uma espécie de quarto onde os orixás são paramentados, servindo também de espaço para a reclusão dos noviços durante o processo de iniciação.

A cozinha é outro espaço extremamente importante em todos os terreiros de candomblé. É lá que são preparadas as comidas dos filhos da casa e dos orixás por eles cultuados. Antes de irem ao fogo, os alimentos são cuidadosamente cortados pelas iaôs em formas e tamanhos específicos e, após o cozimento, a disposição visual dos pratos mais complexos é supervisionada pessoalmente pela ialorixá, o que demonstra um senso estético apurado. A cozinha é também um ponto de encontro, pois entre uma atividade e outra conversa-se muito sobre as preferências alimentares dos deuses, mitos e tradições do candomblé.

Mas, se no Brasil a religião dos orixás goza de tantas possibilidades espaciais, em Nova York, cidade espremida pelo concreto de seus prédios, os devotos do *lukumi* ou *santería* (ambos nomes para a religião dos orixás) redefinem a questão do espaço sagrado. Conforme a linda explicação dada pelo babalorixá John Mason (1992) numa entrevista:

> Quando você entrou na minha casa, alguns minutos atrás, você passou por um altar para Elegba (Exu) na minha porta da frente. Você nunca o vê. Cada casa que tem gente iorubá tem um altar para Elegba na porta da frente. Muita gente não o vê. Passam por ele. Aquele é um espaço dedicado, um espaço sagrado. Cada casa que você tiver vai ter o mesmo espaço dedicado, espaço sagrado, mais ou menos, maior ou menor. Uma mulher me falou um dia: "Tenho que alugar um apartamento de três quartos." Por que três quartos? "Um para o meu filho, outro para mim e outro para o meu orixá." Isto indica o jeito que as pessoas pensam quando elas são parte desta cultura. Mas os

orixás também se tornam indivíduos. Eles tomam os espaços dos seres humanos. Dividem o espaço com você. Não é algo separado de você. Então, essa é talvez a única força que nos guarda de ser católico ou protestante. Nós não os colocamos em um lugar que vamos ver todos os dias. Mas eles estão na minha casa. Poderemos ter um templo. Haverá espaço para todos nós, mas o meu é sempre no andar de cima da minha casa, ou na minha porta, ou no andar de baixo, ou ainda no meu jardim. De forma que minha relação com Deus é sempre muito de perto e tornou-se parte do meu espaço vital. Eles não estão fora do meu espaço. Não é algo de fora, é todo o espaço. É gente que usa *eleke* (colar de contas dos iniciados). Você o usa em torno do seu pescoço, ele toma o espaço do seu corpo. Eles usam braceletes etc. É a roupa que você veste. Tudo isso é ritual. Seu corpo é seu templo. Para ser realmente técnico, seu corpo se torna espaço ritualizado porque é desenhado. Você desenha o que vai vestir. (MASON, 1992, tradução livre)

Religião-vida-arte

Algo especial, pessoal, confere a cada peji uma atmosfera única. Cada sacerdote alimenta os seus orixás de forma extremamente particular. Quando penetramos no espaço sagrado de um peji, penetramos também num espaço íntimo... Podemos ver ainda vestígios do sangue dos sacrifícios e respirar o mesmo ar dos orixás. Espalhados pelo ambiente, deparamo-nos com objetos do nosso cotidiano, de dentro das geladeiras, das prateleiras dos supermercados, artigos da "sociedade de consumo", garrafas, vasos de porcelana barata se estendem ao lado das pedras sagradas, sempre protegidas, veladas para nosso olhar inquiridor. Em casos raros em alguns candomblés, como se não bastasse essa conjugação de elementos aparentemente conflitantes, a presença de imagens de santos cristãos empresta uma aura suavemente asséptica ao caos de cores e formas absolutamente inusitadas. No entanto, em vez de encararmos esses fatos como o fim da tradição do candomblé, vemos nisso mais uma expressão de sua resistência, sua fortaleza e incansável capacidade de sacralizar o possível, pois não há objeto de culto além do sagrado que a natureza nos dá.

A tradição do candomblé continua sendo transmitida oralmente; ultimamente com uma infinidade de publicações, além de centenas de sites informativos com textos, imagens e vídeos, coisa impensada quando pela primeira vez publiquei este livro. Como é sabido, as primeiras casas de candomblé na Bahia foram fundadas e organizadas por ex-escravos e ex-escravas que tinham sido sacerdotes/sacerdotisas nos antigos reinos do Daomé, de Ketu ou de Oyó. Líderes, por sua vez, legaram aos seus descendentes os postos máximos dos primeiros candomblés, que, ainda hoje, exercem poder hierárquico sobre os novos terreiros que foram sendo fundados em outras regiões do Brasil. Essa severa hierarquia é responsável pela manutenção dos preceitos básicos da religião. A passagem do conhecimento continua a ser feita de boca em boca, a(o) iaô aprende observando e ouvindo seus mestres. Assim, uma rede de comunicação baseada na convivência alastrou pelo país os rituais que perpetuam a tradição dos orixás, a qual possui hoje fiéis em todas as classes sociais.

Os mestres africanos se foram, muitos filhos de santo emigraram de Salvador para outras terras, afastando-se da matriz da cultura do candomblé. As transformações drásticas do meio ambiente, a destruição das florestas tropicais junto aos grandes centros urbanos e a opressão socioeconômica que a população menos favorecida tem experimentado transformaram o candomblé, que sempre foi um foco de resistência da cultura negra, em outras imprevisíveis e miscigenadas manifestações. Por tudo isso, o candomblé é uma religião profundamente solidária, humanista. Durante a ditadura militar brasileira, muitos perseguidos pelo regime se refugiaram no candomblé e encontraram novas formas de resistência: a militância pacifista e humanista. Desde o final do século XX, o candomblé passou a participar ativamente da vida política do país por meio de suas lideranças religiosas, apoiando os movimentos contra a injustiça social, os preconceitos e intolerâncias religiosas dos quais ainda continua sendo vítima.

Artistas nascidos na Bahia, e muitos outros baianos por afinidade, têm se impregnado dessa cultura, transformando-a em sinônimo de africanidade brasileira. Obras geniais surgiram, mas, em muitos casos, a obra e o autor são desconsiderados e a fonte é ignorada. O candomblé ainda é visto como folclore, tema recorrente das inúmeras visões do mundo religioso afro-brasileiro no carnaval, numa tentativa de depreciar sua força cultural, ainda pouco conhecida e divulgada, como algo estereotipado pela cultura midiática.

Trata-se de uma arte litúrgica que, embora intente manter e preservar a tradição jeje-nagô, abre espaço para a verdadeira criatividade. Pois a imaginação parece sintonizar-se com o sentimento profundo do que é orixá, o qual transcende o contato com o mestre, conferindo à inspiração do artista a capacidade de inovar a expressão de uma fé comum.

Novos e antigos caminhos

O candomblé não é uma religião de massa. Ninguém faz propaganda da religião, nem luta contra outras religiões. Mas as portas estão sempre abertas. Embora nada seja tão visível quando é grande a expectativa dos que buscam. Você vem ao candomblé querendo ajuda, e, às vezes, precisando de milagres. Ao cruzar o limiar, você procura por Deus, por santos, e até pelos orixás de que tanto ouviu falar. Eles não estão disponíveis no momento, "será que você não é importante o suficiente?" De repente você percebe que está em um lindo... lindo lugar... Parece que você já esteve lá, talvez em sonho... Por que já não se fazem pomares tão lindos? Este não é decorado. As árvores estão verdes... não há frutas, embora lá estejam as mangueiras de Oxóssi. Às vezes pássaros, às vezes o corriqueiro ronco de um porco no vizinho criam uma atmosfera tão doméstica de fazenda... Aos poucos, quando você se esquece de criticar, sente uma estranha paz. A paz que idealizou desfrutar em algum convento no alto de uma montanha da Itália... ou em algum lugar isolado na Índia.

Mas você está com pessoas desconhecidas falando de coisas corriqueiras, e percebe que parou no meio de um monte de árvores, numa cidade onde você quase não vê árvore alguma. Em todo lugar existe sombra, e quando o sol vaza é por insistência. Então você se dá conta de que o único banco que tinha para se sentar... ainda bem que ele está bambo. Aí, sentar no chão é até racional, vai lhe sujar, mas você se acomoda de um jeito infantil, e pronto, resolvido. Você relaxa, olha em volta, nada de especial, árvores... mas você tem a sensação de que o lugar estava preparado para a sua vinda, mesmo sabendo que isso é uma tola fantasia... Depois, quando quiser, é só voltar. Depende de você.

Ao final de alguma experiência forte, olhamos para trás e perguntamos: "O que foi que eu ganhei?". Ou, humildemente nos penitenciamos: "Mas, afinal, o que foi que eu aprendi?" Discurso banal de quem aprendeu existencialismo em orelha de livro... De tudo que vivenciei quando estive em casas de candomblé, o que mais me chamou atenção foi exatamente o que não me foi ensinado.

Candomblé é um nome difícil e bonito, três sílabas e três sons estranhos. Mais difícil que pronunciá-lo, porém, é unir o significado de três palavras que, todo dia, aprendemos a separar, mas que são indissociáveis dentro do universo cultural da tradição dos orixás: religião-vida-arte.

Aqueles que passam a frequentar o candomblé logo aprendem: cada dia um novo ensinamento, repassado pelos mais antigos no santo, que nos contam, ensinam cantigas, jeitos de cultuar os orixás, voduns (no caso jeje) ou inquices (no caso, congo-angolana), formas simples de viver, de cuidar de si próprio, de ler a presença divina na natureza, de orar e ritualizar o momento, de se desapegar de lembranças, de se fortalecer vivendo o presente. Aprendemos como podemos melhor agradar as divindades que, em última análise, estiveram sempre guardadas dentro de nós, e apenas reveladas pela iniciação, o bori, quando damos comida para nossa cabeça (ori). Ao participar dos cultos, descobrimos nossos pais e mães ancestrais, novos (muito antigos) parentes, nossas famílias espirituais. E partir daí, passamos a compartilhar com as outras famílias de orixás de nossos irmãos em confraria, cada um com seus orixás, voduns ou inquices, irmanados no ritual, ao som do atabaque, do canto e no calor da dança em roda ou em zigue-zague. Aprendemos, ainda, que são tantas as qualidades de cada santo, com suas infindáveis mitologias e símbolos e cores apropriadas, tantas músicas e danças peculiares de cada ocasião, mistérios a descobrir pela convivência – questões que apenas uma vida toda é ainda muito pouco para se iniciar por completo. Esta longa iniciação nunca terá fim. Etapas de encontros e de novas portas que se abrem, prevendo novos caminhos e buscas, e encontros fora e dentro de nós mesmos.

Awerê a todos que me permitiram e me permitem ter palavra e voz, e me dão liberdade para me expressar.

Bibliografia

AUGRAS, Monique. *O duplo e a metamorfose*: a identidade mítica em comunidades nagôs. Petrópolis: Vozes, 1983.

BASTIDE, Roger. *A cozinha dos deuses*: alimentação e candomblés. Rio de Janeiro: Serviço de Alimentação da Previdência Social (SAPS), 1952.

BASTIDE, Roger. *O candomblé da Bahia* (rito nagô). Tradução: Maria Isaura P. de Queiroz. São Paulo: Nacional, 1961.

BENTO XIV, Papa. Breve que o Santo Padre Bennedicto XIV expedio em XX de dezembro de M.DCC.XLI [...]. *Collecçaõ dos breves pontificios e leys regias* [...]. Lisboa: Secretaria de Estado, 1759, n. 1, p. 1-4. Disponível (em latim) em: <http://objdigital.bn.br/objdigital2/acervo_digital/div_obrasraras/or1556330/or1556330.pdf>. Acesso em: 5 jan. 2022.

BINON, Gisèle Cossard. A filha de santo. Em: MOURA, Carlos Eugênio Marcondes de (org.). *Olóòrìsà*: escritos sobre a religião dos orixás. São Paulo: Ágora, 1981, p. 129-151.

BINON, Gisèle Cossard. *Contribution a l'étude des candomblés au Brésil*: le candomblé angola. Tese de Doutorado. Paris: Faculté de Lettres et Sciences Humaines, Université de Paris, 1970.

BLIER, Suzanne Preston. Vodun: West African roots of vodou. Em: COSENTINO, Donald J. (ed.). *Sacred arts of haitian vodou*. Los Angeles: Fowler Museum of Cultural History, UCLA, 1995.

BOLÍVAR ARÓSTEGUI, Natália. *Los orishas en Cuba*. Havana: Ediciones Unión, 1990.

BRAGA, Júlio. *O jogo de búzios*: um estudo da adivinhação no candomblé. São Paulo: Brasiliense, 1988.

CACCIATORE, Olga Gudolle. *Dicionário de cultos afro-brasileiros*. Rio de Janeiro: Forense Universitária, 1977.

CARVALHO, José Geraldo Vidigal de. *A Igreja e a escravidão*. Rio de Janeiro: Presença, 1985.

CASTRO, Yeda Pessoa de. Das línguas africanas ao português brasileiro. *Afro-Ásia*: Salvador, n. 14, p. 81-103, 1983.

CAYMMI, Dorival. *Vatapá*. Em: CAYMMI, Dorival. *Eu vou pra Maracangalha*, faixa 6, 1 LP. Rio de Janeiro: Odeon, 1957.

CHEBEL, Malek. *L'esclavage en terre d'Islam*. Paris: Arthème Fayard/Pluriel, 2010.

COSSARD, Gisèle Omindarewá. *Awó: o mistério dos orixás*. Rio de Janeiro: Pallas, 2006.

COUTINHO, José Joaquim da Cunha Azeredo. *Concordância das leis de Portugal e das bulas pontificais*. Rio de Janeiro: Arquivo Nacional, 1988.

DESCOBERTO um novo sistema das Ordenações Manuelinas. Disponível em: <https://www.bnportugal.gov.pt/index.php?option=com_content&view=article&id=705%3Amostra-ordenacoes-manuelinas-500-anos-15-mar-16-jun&catid=162%3A2012&Itemid=739&lang=pt>. Acesso em: 5 jan. 2022.

DEUS, Gaspar Madre de. *Memórias para a história da Capitania de São Vicente*. Brasília: Senado Federal, 2010.

FATUNMBI, Awo Fá'lokun. *Ìwa-pèlé*: Ifa quest, the search for the source of santeria and lucumi. New York: Original, 1991.

FAUSTO, Boris. *História do Brasil*, 12. ed. São Paulo: EdUSP, 2006.

JORDÃO, Levy Maria (org.). *Bullarium patronatus Portugaliae regnum* [...]: t. 1 (1171-1600). Lisboa: Olisipone, Tipografia Nacional, 1868. Disponível (em latim) em: <https://books.google.com.br/books?id=WDNOAAAAYAAJ&printsec=frontcover&hl=pt-BR&source=gbs_vpt_read#v=onepage&q&f=false>. Acesso em: 5 jan. 2022.

JUNG, Carl Gustav. *Os arquétipos e o inconsciente coletivo*, 2. ed. Tradução: Maria L. Appy, Dora M. R. F. da Silva. Petrópolis: Vozes, 2000.

KI-ZERBO, Joseph et al (ed.). *História geral da África, 8 v. (versão em português)*. Brasília: UNESCO, 2010.

LANDES, Ruth. *A cidade das mulheres*. Rio de Janeiro: Civilização Brasileira, 1967.

LIGIÉRO, Zeca. Candomblé is religion-life-art. Tradução: Brian F. Head. Em: GALEMBO, Phyllis (ed.). *Divine inspiration*: from Benin to Bahia. Albuquerque: University of New Mexico, 1992, p. 97-119.

LIMA, Vivaldo da Costa. *A família de santo nos candomblés jeje-nagôs da Bahia*: um estudo das relações intragrupais, 2. ed. Salvador: Corrupio, 2003.

LOPES, Nei. *Novo dicionário banto do Brasil*. Rio de Janeiro: Pallas, 2012.

MASON, John. *Orin Orísá*: songs for selected heads. New York: Yoruba Theological Archministry, 1992.

PARÉS, Luís Nicolau. *A formação do candomblé*: história e ritual da nação jeje na Bahia, 2. ed. rev. Campinas: Unicamp, 2007.

PIERSON, Donald. *Brancos e pretos na Bahia*: estudo de contacto social, 2. ed. São Paulo: Nacional, 1971.

REIS, João José. Nas malhas do poder escravista: a invasão do candomblé do Accú na Bahia, 1829. *Religião e Sociedade*: Rio de Janeiro, v. 13, n. 3, p. 108-127, nov. 1986.

RODRIGUES, Raimundo Nina. *Os africanos no Brasil*. São Paulo: Nacional, 1932.

SANTOS, Deoscóredes M. dos; SANTOS, Juana Elbein dos. O culto dos ancestrais na Bahia: o culto dos egun. Em: MOURA, Carlos Eugênio Marcondes de (org.). *Olóòrìsà*: escritos sobre a religião dos orixás. São Paulo: Ágora, 1981, p. 153-188.

THOMPSON, Robert Farris. *Flash of the spirit*: african and afro-american art and philosophy. New York: Random House, 1983.

VERGER, Pierre; BASTIDE, Roger. Contribuição ao estudo da adivinhação no Salvador (Bahia). Em: MOURA, Carlos Eugênio Marcondes de (org.). *Olóòrìsà*: escritos sobre a religião dos orixás. São Paulo: Ágora, 1981, p. 57-85.

VERGER, Pierre. *Fluxo e refluxo do tráfico de escravos entre o Golfo do Benim e a Bahia de Todos os Santos*. Tradução: Tasso Gadzanis. Salvador: Corrupio, 1987.

VERGER, Pierre. *Notas sobre o culto aos orixás e voduns na Bahia de Todos os Santos, no Brasil, e na antiga Costa dos Escravos, na África*. Tradução: Carlos Eugênio Marcondes de Moura. São Paulo: Universidade de São Paulo, 2012.

VERGER, Pierre. *Orixás*: deuses iorubás na África e no Novo Mundo. Tradução: Maria Aparecida da Nóbrega. Salvador: Corrupio, 1981.

fonte *Utopia Std*
papel *offset 75g/m²*
impressão *Gráfica Impressul, junho 2023*
9ª edição